資訊時代的兒童圖書館

鄭雪玫著

臺灣學生書局印行

第二版序

頃接學生書局通知，原印本書所剩無多，亟需加印。本書出版雖已逾四年，惟所採用資料仍屬新穎，內容仍具其時效性，是僅就原版酌予勘誤或補正，並請林麗秋小姐編撰中英文索引增列於書後，俾便讀者查閱。

鄭雪玫

民國八十一年三月於臺大

自　序

拙著「兒童圖書館理論／實務」於民國七十二年初版，七十四年再版以來，頗受各界志同道合的先進、朋友們的重視，也算是爲我國方興未艾的兒童圖書館事業作了一點微薄的貢獻。近年來，由於社會變遷及科技的衝擊，兒童圖書館也在醞釀着適應新環境的改變。順應這個趨勢，本人謹將近年來教學與研究收集的資料，撰成本書，內容主要在簡介兒童圖書館的評鑑、經營管理、服務及國內兒童圖書館現況。

本人回國參加教育服務的行列一晃已逾九年，在這期間，屢承圖書館學界同仁及先進們厚愛指教，獲益匪淺。審視國內兒童圖書館的發展，顯然未來問題尙多，但年輕一代的優秀圖書館員已逐漸担負起拓展業務的重責，這是令人最感欣慰的。願以此書與所有兒童圖書館的耕耘者共勉，展望一個更好的明天。最後要特別申明者，由於目前國內有關兒童圖書館的中文資料不多，所以作者有不得不借重西文資料的苦衷，這是非常遺憾的。

本人要感謝林麗秋、呂明珠及陳曉理三位同學在我撰寫此書時給我的協助。本書內容及觀點難免有錯誤偏失之處，尚希高明，不吝指正。

民七十六年十月於臺北 鄭雪玫

資訊時代的兒童圖書館

目 次

第一章　引論——大環境

●壹　認識今日的兒童

㈠兒童觀念的改變
㈡家庭結構的演變
㈢資訊社會的來臨

●貳　新科技的衝擊

壹　認識今日的兒童

隨著時代的變遷和經濟的繁榮，社會大衆對下一代福利的關心程度也日益增加，「兒童」問題也成了今日社會極受重視的話題之一。究竟今日的兒童和往日的兒童又有何不同呢？哪些是影響兒童改變的重要因素呢？我們在下面試從兒童、家庭及科技三方面分別簡略探討。

(一)兒童觀念的改變

今日的家長多重視兒童，並對他們寄予莫大的期望，因而也增加了今日兒童承受的壓力。他們必須學業專精，同時電視節目、電子遊戲、漫畫書等現代玩意兒又給予他們不可抗拒的誘惑力。所以今日的兒童生活在多種巨大壓力下，無所適從，便會產生小兒科醫生所謂的A型行為(type A behavior)(註一)，症狀常為諸多要求、脾氣暴躁及具極強烈的競爭心，極端情形下還會有所謂「超級嬰兒」併發症(superbaby syndrome)。美國耶魯大學心理學家Edward Zigler 曾批評：所謂「熱房」(hothousing)(致力於提供孩子加速學習環境的教育方式)無疑地製造了未來「雅痞」現象。學者E. Brown 氏解釋云：今日的家長往往企圖將自己未能實現的或過度的野心轉植到孩子身上，事實上這種提早加強學習能力的努力，對大多數的兒童並不產生長遠的影響(註二)。學者T. Berry Brazelton 也綜合各派的論說，作如下詮釋：「超級嬰兒」併發症產生的原因之一，是因為文化價值的眞空存在於今日年輕一代家長，而孩子學業的優異表現是較易於衡量及向人炫耀的。這種方法可以帶給年輕家長們身為成功父母的驕傲與喜悅。其實，情緒心理方面的健全發展，才是日後學業知識發展成功的基石。因此我們的社會有必要重新評估——我們是否致力於教養極度自我中心、聰明而具強烈動機，却與人疏遠、孤立的新一代，難道我們社會要竭力製造一些有知識的怪物(cognitive monsters)嗎(註三)？有人認為我們最重要是讓孩子們在世界上感到自在、安全，但面對今日處處都崇尚專才的社會，要達到這境界也確實非易事(註四)。

㈡家庭結構的演變

家庭爲兒童成長的溫床，兒童需要家庭支持培育，乃至成爲健全的個人。往昔，家庭頗能稱職地扮演此角色，然而近年來由於農村社會日漸蛻變爲工商社會，使家庭結構逐漸產生下列變化：

(1)上班族媽媽人口增加；(2)家庭中成人人口減少；(3)單親家庭數字增加；(4)有未婚媽媽的孩子人口增加；(5)家庭兒童人口減少。有些專家們認爲今日的婦女對撫養子女付出太少,而大多忙於在工作崗位上來證明自己的獨立、競爭能力及男女平等的原則（註五）。今日的家庭是來日家庭制度革命的前驅，他們並沒有什麼模式可以遵循；工作的父母可謂是「超級爸爸」（super daddy）及「超級媽媽」（super mammy），他們必須扮演多種角色。目前傳統觀念如男主外女主內，媽媽不應外出工作，家事是主婦值得驕傲的工作等仍存在於社會，但學者William J. Goode 預言在一九九〇年，世界上 75 ％的兒童其雙親都將外出工作，因爲工作婦女人口增加比率頗速，且有繼續增加的趨勢（註六）。

㈢資訊社會的來臨

由於工作婦女人口不斷的增加，幼兒的照顧便是一個頗値得重視的問題，因爲育幼機構對兒童成長過程有很大的影響力。Vance Packard 研究報告中指出：兒童自嬰兒開始接受不理想的照料，在三、四歲時會比較有侵略性，衝動而且以自我爲中心；一些曾接受育兒機構照料的孩子們也顯得比較不喜社交、好動及不合作（註七）。Parke 等學者研究發現，大部份虐待兒童的成人在兒童期有受體罰或侵略性行爲的經驗；而失業也是造成成人虐待兒童原因之一（註八）。除了父母虐待子女的案例外，兒童也會自虐，譬如美國十五歲至十九歲青少年的自殺率自一九八五年以來便增加了三倍，自殺是該年齡層第三大致死的原因（註九）。學者專家們對上述悲慘事實的意見大致如下：有的歸因於越戰、藥物、電視及壓力等；有的卻認爲家庭變易、父母離婚、家庭分子間的疏離等原因，使青少年在成長過程中缺少情緒上的支持所致。

一九八三年檢討美國教育的著名文獻「面臨危機的國家」（*Nation at Risk*）（註一〇）裡便暴露了教育過程中，教師、教室上課情形及家長參與等各方面的嚴重缺失，而政府對教育進步情形的評估中也指出孩子們的閱讀、科學及數學程度有下降的趨勢。有些教師甚至認爲資訊時代兒童的特性是——缺少幻想力及學習的動機與興趣。教育家Ronald Edmond 則認爲下列五因素可以有效提昇兒童學習的層次：

⑴教師對學生應有較高的期許。

⑵校長要扮演積極的領導者。

⑶著重訓練兒童基本學科。

⑷運用標準化測驗評估學科成績。

⑸提供良好的學習環境。

簡言之，上述五因素著重於教師扮演楷模及指導者的角色（註一一）。美國參議員及著名社會運動者Daniel Patrick Moyniham 在他的出名著作——「家庭與國家」（*Family and Nation*）中宣稱「一個社會的前途，可以從它如何照顧兒童來預測。」（註一二）。

公共圖書館是社區中服務兒童的主要社教機構之一，它的從業人員必須瞭解影響現代兒童的因素，俾能使他們的服務更確實地滿足兒童們的需要。今後圖書館與學校、育兒機構及其他的兒童福利機構應該朝著更密切地合作這個方向去努力，因爲家庭已在現代社會改變過程中逐漸將部份責任轉移至家庭單位以外的機構或團體，而這個工作已是現代公共圖書館面臨的一項挑戰。

最近美國匹兹堡公共圖書館爲了鼓勵家庭和孩子們唸故事，便發展了一計劃（註一三）：圖書館在郡立健康診療站將小包裹的兒童讀物贈與家長，包裹內並附有介紹圖書館的資料。圖書館人員向成人們說明朗讀對兒童的益處，並建議簡單的技巧〔可參考「朗讀手册」（*Read-Aloud*

Handbook)(註一四)〕。數月後，一般家長及診療站工作人員對該計劃皆表示衷心的支持；有一位護士表示，每當她做家庭訪問時，小孩喜歡拿著書歡迎她，並要求她唸故事或和她分享對故事的興趣，家長也告訴她，睡前和孩子唸書，可以使他們愉快的入睡種種。半年以後，圖書館做了追踪調查，大部分該計劃的參加者仍繼續和孩子們唸故事，但卻很少人與圖書館有接觸。數位家長宣稱自己到書店買書了，有的繼續利用圖書館贈送的書………這些家長不外出工作，自己照顧孩子，關心子女福利，但他們並未瞭解圖書館在孩子們成長、學習過程中所扮演的重要角色。公共圖書館如能吸引幼兒家長，提供他們服務的可能性很大，而且是一種對傳統兒童服務的挑戰。日後公共圖書館甚至可能將文盲的惡性循環停止，進軍大衆教育的範疇。做為一個現代人，我們不能永遠背著歷史傳統的包袱，回顧遨想，我們要向未來瞻望，對未來的新生代有交待。所以諾貝爾和平獎得主桂冠詩人Bernard Lawn 曾說過：「這世界並非我們的家長留給我們的，而是向我們的孩子們賒借來的(註一五)。」

貳　新科技的衝擊

當農業社會轉變為工業社會的同時，以農業社會為基礎的文化也將蛻變為工業社會本質的文化。同樣地，社會各階層及其成員，包括兒童的生活，都會直接或間接地承受到今日新科技發展的衝擊。兒童圖書館員面對着因新科技發展而接二連三產生的新方法、新設備及新用途，眞有點應接不暇。兒童圖書館員必須沉着準備因應，觀察現實環境，並對新科技確實評估如何予以引用。

新科技的衝擊大致可分兩方面來敍述，一是新科技對社會的影響，它衍生了什麼問題或現象；另一便是新科技開拓出新的天地，新的機會。而且，今日新科技的出現和十八世紀工業革命，蒸氣渦輪機那類新科技的出現大不相同。過去新科技的發展速度緩慢，頻率極低，今日新科技則發展速度快，頻率高，因而汰舊率也特別高。簡言之，今日新科技的特質，是變幻多而且快，一方面新科技的衝擊使現代人看事物多是光怪陸離，目不暇接，訊息傳播之速爲前所未有，個人承受來自各方面壓力及影響之沉重也爲前所未有。現代人受到新科技的衝擊，窮於適應，追求時尚，勤研新知，一切皆爲堂堂皇皇的做一個現代人。在這一方面，圖書館事業可以配合現代人的需要作許多貢獻，諸如加強對讀者的服務，增加館藏、資訊等等，在另一方面，新科技的衝擊可以說是積極性的；它開拓了新天地，創造了新機會，產生了新工具，使現代人的生活品質提昇，生活步調更舒暢。因爲這些，它也給予圖書館事業的發展一股新生力，使圖書館的服務更趨現代化。

假如圖書館界把新科技視為提供服務的工具，因為它可以為圖書館服務帶來進步；但我們也絕不能為了「進步」而盲目地伸出雙手迎接任何科技，或抹殺傳統的傳播型式資料；圖書、唱片、雜誌及其他形式的資料不會那麼容易消失。在兒童圖書館發展先進國家如美國，目前許多兒童圖書館已設置微型電腦（Microcomputer），提供各年齡兒童娛樂性的利用。而在不久的將來，電腦、微型電腦也將逐漸取代卡片目錄，及處理流通和參考工作。我們如何能有效的將現在的方法及制度轉變為明日的方法及制度，應是資訊時代的圖書館面臨的一大課題。但我們可以確信，資訊時代的兒童及成人必須學習如何控制及指揮新科技將帶來的資訊，否則他們將會被新科技所控制及指揮（註一六）。有關兒童圖書館的活動中應用之各種媒體的討論，請詳見第四章參節之㈢。

附　註

註　一：David Elkin, *The Hurried Child-Growing Up Too Fast Too Soon* (Reading, Mass.: Addison-Wesley,1981), p. 14.

註　二：Ezra Bowen, "Trying to Jump-Start Toddlers," *Time* 127 (7 April 1986): 66.

註　三：T. Berry Brazelton, *Working and Caring* (Reading, Mass.: Addison-Wesley, 1985), p. 129.

註　四：Varlerie Polakow Suransky, "A Tyranny of Experts," *The Wilson Quarterly* 6 (Autumn 1982): 54.

註　五：Noburu Kobayashi and T. Berry Brazelton, *The Growing Child in Farnily and Society* (Tokyo: University of Tokyo Press, 1984), pp. 20-21.

註　六：同註三，頁 XVIII, XX, 9.

註　七：Vance Packard, *Our Endangered Children, Growing up in a Changing World* (Boston: Little, Brown, 1983), pp. 3, 140.

註　八：Ross D. Parke and Candace Whitmer Collmer, "Child Abuse: An Interdisciplinary Analysis," *Review of Child Development Research* 5 (1975): 518-43.

註　九：John Leo, "Could Suicide Be Contagious? " *Time* 127 (24 Feb. 1986): 59.

註一〇：National Commission on Excellence in Education, *A Nation at Risk: The Imperative For Educational Reform* (Washington D.C.: Superintendent of Documents, 1983).

註一一：同註七，頁90。

註一二：Daniel Patrick Moynihan, *Family and Nation* (San Diego: Harcourt, Brace, Jovannovich, 1986), p.53.

註一三：Jill Locke and Margaret Kimmel, "Children of the Information Age," *Library Trends* (Winter 1987): 365-66.

註一四：Jim Trelease, *The Read-Aloud Handbook* (New York: Penguin Books, 1985).

註一五：同註一三。

註一六：Karl Beiser, "256 Kilobytes and a Mule," *Library Journal* 110 (May 1, 1985): 117; Henry A. Taitt, "Children-Libraries-Computers," *Illinois Libraries* 62 (Dec. 1980): 903.

第二章　兒童圖書館的時代任務

- 壹　「計劃程序」取代「標準」
- 貳　兒童圖書館服務的評鑑

㈠何謂「兒童圖書館服務評鑑」
㈡兒童圖書館服務評鑑制度的層次
㈢評鑑進行的策略
㈣兒童圖書館服務評鑑實例舉隅

第二章　兒童圖書館的時代性格

由前一章闡述今日大家面臨的大環境，我們自然會進一步探討一連串不同層次的問題：大環境可能衍生出些什麼問題？兒童圖書館將如何去因應這些問題？再深一層更如何方能有效地去解決或抒解這些問題？在這些主要問題裡更蘊涵着許多相關聯的附屬性問題。首先便是要確實瞭解衍生出的問題及其相關聯的問題，諸如其性質、範圍、強度、趨勢及影響等等；經由這些座標定位，便可確知問題的實體是什麼。第二步便是探索如何因應這些問題的實體。在這一層次，兒童圖書館要就其本身的、目前的、未來的（包括中、長程）狀況和主觀及客觀要件，做一個澈底的衡量；如確實估量本身在各個時段裡可運用的人力及物力資源等，而在各該時段裡，對足以影響資源運用的主觀及客觀條件的考量當然也不容忽視。第三步便是以這個基礎來切實探究權衡到底採循何種途徑、方法或措施方符合成本效益原則，解決或抒解這些大環境衍生出的問題。

兒童圖書館是依附在社會裡成長的有機體，若要充分達成社會賦與它的使命，發揮它的功能，它便必須面對這永恒變異的大環境，認清問題，瞭解自己，因應問題。這個持續不斷的兒童圖書館服務之評鑑程序，便是今日兒童圖書館必須承擔的時代任務。

壹　「計劃程序」取代「標準」

民國七十二年中國圖書館學會曾研擬「公共圖書館標準」草案，釐定公共圖書館的一般最低要求標準（註一）。這個標準雖至今尚未正式定案，但它已顯然無法在今日社會大環境裡發揮它原先預定的功能。其原因主要有二：⑴標準僅著重組織、人員、設備等靜態的要素，毫未涉及動態層面的標準要求；⑵仍以傳統觀點來釐定標準，因而自我限制了今日公共圖書館應有的社會功能。再者，環觀今日社會、經濟、科技的快速發展，事物日新月異，圖書館業者若仍拘泥於傳統的、靜態的一系列標準，它將如何去適應今日社會，充分發揮其社會功能呢？事實上，近十餘年來，圖書館事業先進國家如美國，已經走上以「計劃程序」取代「標準」的道路來因應現代社會的需要。

「圖書館標準」通常是由各國政府教育主管當局，或專門職業組織，或政府任命之專門委員會負責研訂。美國圖書館協會於一九三三年頒訂最早的公共圖書館經營標準——「公共圖書館標準」（*Standards for Public Libraries*）（註二），其後配合公共圖書館發展的需要，陸續頒訂了下列各標準：「公共圖書館戰後標準」（*Post-War Standards for Public Libraries*, 1942）；「全國公共圖書館服務計劃」（*National Plan for Public Library Service*, 1948）；「公共圖書館服務」（*Public Library Service*, 1956）（註三）；「公共圖書館系統最低標準」（*Minimum Standards for Public Library Systems*, 1966）（註四），在此半世紀的時光裡，前列文獻也確實為美國公共圖書館經營發展提供了重要依據。這些「標準」一直便是公共圖書館界編列預算，尋求政府經費支助，以及圖書館自我評鑑最重要的參考文獻。

一九七〇年代以後，由於社會變遷迅速，科技發展日新月異，美國圖書館界已逐漸體認到全國各地公共圖書館的業務規模、性質等方面的差異頗巨，以一個單一性的標準來導引全國無數公共圖書館的經營管理及服務，將無法因應各個地方社區的需要。例如圖書館即使能具備合乎標準要求的輸入資源（人員、資料、空間等），但並非一定會產生合乎預期標準的輸出成果（服務層面及品質或社教功能）。因此圖書館界開始重視不同圖書館因具備不同資源產生與預期不同績效的問題，同時更深深感覺到遵循一個與公共圖書館目標及社區需要無法切合的單一標準爲評鑑依據頗值得商榷。

在過去十數年間，美國圖書館業者逐漸研討發展了一套「計劃程序」的新方式以取代單一的「標準」，來改進公共圖書館對公衆的服務。美國公共圖書館協會於一九八〇年出版了「公共圖書館計劃程序」手册（*A Planning Process for Public Libraries*）（註五），以幫助各公共圖書館利用問卷調查分析所服務社區的需要，從而認定其圖書館的角色（role），擬定其任務大綱（Mission Statement），並進而訂出短、中或長程的目的（goal）及目標（objectives）。同時美國公共圖書館協會爲了協助各公共圖書館評估其服務的成效，更於一九八二年出版了「公共圖書館服務成效評估」手册（*Output Measure for Public Libraries*）（註六），以圖書館輸出成果（output）或服務表現（performance）作爲評估（measurement）之標準。上述兩文獻便爲美國公共圖書館自一九七〇年代以來的經營管理提出了新導向——重視利用者導向的圖書館服務及機構發展的目的、目標，取代了過去傳統性的公共圖書館標準中，以輸入圖書館資源爲重點的經營管理觀念。

至於如何有效利用「公共圖書館服務成效評估」手册

中所列十二項評估方法（註七），評量兒童服務，便成爲近年來美國各公共圖書館研究的一個重要課題。一九八五年美國威斯康辛州的公共圖書館參考「評估手册」設計了一套兒童服務評估的架構（註八），其評估方法共有七項：

㈠每年每位兒童平均圖書資料流通量。

㈡每年每位兒童平均館內使用圖書館資料量。

㈢每年每位兒童平均到訪圖書館次數。

㈣每年每位兒童參加圖書館活動次數。

㈤兒童參考諮詢服務滿足率。

㈥登記圖書館使用者佔社區兒童人口百分比。

㈦每年每一項兒童圖書資料之平均流通次數。

並同時公佈了一份威州各公共圖書館兒童部門（室）對上列七項評估方法所作之平均數值（註九）。此份數值表並無絕對的高低標準，僅供各圖書館比較參考之用。

貳　兒童圖書館服務的評鑑

㈠何謂「兒童圖書館服務評鑑」

目前有關兒童圖書館服務評鑑的英文資料非常匱乏，美國學者曾分析一九五八至一九八五年間「圖書館文獻索引」（*Library Literature*）的主題標目（ subject headings ），有關兒童圖書館服務評鑑（ Children's Library

Services Evaluation)項下僅得專文十七篇(註一〇)。一般兒童圖書館員會誤認「評鑑」是主管對兒童服務，甚至以兒童圖書館員爲目標的一種惡意抨擊，或是對館員們所提供之服務成效的最終評價等等。這類錯誤的觀點在建立一個普遍而健全的兒童圖書館服務評鑑制度以前，極需要加以澄清改正。圖書館實務專家 Mary K. Chelton , Programming and Community Services Administrator , Virginia Beach Dept. of Public Libraries ,指出：

⑴評鑑絕非衡量任何事、物最終價值的方法。

⑵評鑑並非總是複雜的工作。

⑶評鑑並非總是證明所要證明的。

⑷即使評鑑結果是以數字方式來分析或表達，它絕非總是以計數或計量方式爲之。

⑸評鑑並非在解決問題，它僅在提供解決問題所需的參考依據(註一一)。

公共行政專家 Eleanor Chelimsky也認爲評鑑可能是一種具有威脅性的行政作業，並曾作如下說明：

⑴因爲評鑑報告是必須公開的，可能會對決策者產生不利的影響。

⑵評鑑具有一種可導致改革的力量——決策者常會利用評鑑報告結果，設法改進現存狀況或活動，而改進(improvement)便是要改革(change)。

(3)有些人類崇高的情操，如信託、自信、榮譽等也將會多多少少受到評鑑作業的無情挑戰(註一二)。

「評鑑」乃運用各種方法，尋求某一計劃、服務或活動是否做得好，或究竟如何才能做得好，其中包括有系統的比較原來計劃與事實上達成的差異。圖書館學專家們於一九八五年十月至一九八六年三月間曾在「美國圖書館」(*American Libraries*)專欄 "Are We There Yet? "討論到此問題：「我們已達到那情況了嗎？」(註一三)。評鑑的其他各家界說尚有：「………是一個決定某事、物的推展有否達成當初預期結果的過程(註一四)。」；「………運用某些明顯的或暗示的尺度來衡量一現象(註一五)。」「……試圖以設計一正式程序來獲得資料或以評估達到目標或目的的進度(註一六)。」；「以有系統的方法觀察並敍述工作計劃對自身或他人的成效如何(註一七)………」

「評鑑」是完成任何計劃中不可或缺的一部份，特別在舉辦或提供首次活動或服務時，更賴以建立其基準線(baseline)，換言之，也是在於留存一記錄作爲日後比較之用。但任何計劃必先訂定目標後，方能決定該計劃能否加以評鑑，或其評鑑的方法如何方爲適當。例如圖書館舉辦兒童暑期閱讀活動的目標，爲鼓勵兒童在暑期中從事閱讀或維持兒童閱讀的技巧，則對該活動將運用不同的方法評鑑；前者可從兒童讀物在暑期流通量增加的百分率，或申請借書證人數增加的百分率來衡量；後者則可比較參加或不參加活動兒童在暑期前後閱讀測分的高低而衡量方爲恰當。

「評鑑」的進行是經由系列的「觀察」，也便是運用各種方法獲得資料。「觀察」的方法又常多借助於某一類型的「調查」。圖書館學行政專家Moran Barbara曾言：「做按步就班的調查是比較容易的,開始從事研究工作者應多借助於對研究方法熟悉者及相關文獻。第一次做調查是最難的，但祇要細心計劃，定能避免大錯誤。總之，做研究猶如游泳，必須實際下水才能學會(註一八)。」

㈡兒童圖書館服務評鑑制度的層次

評鑑制度是具有層次性的；隨其層次的遞增，其所需資源及精密度也隨之增加。普通共分三層次(註一九)：

第一層次爲過程的評鑑(process evaluation)評鑑某計劃設計的效率(efficiency)，通常就該計劃的各部份各別評估。例如美國北卡羅林納州New Hanover郡圖書館的兒童服務協調主任(Children's Services Coordinator)設計的活動評鑑表(見附錄一)，即利用說故事活動各部份的成效記錄以評鑑活動整體的成效；又如兒童圖書館員觀察兒童利用兒童室的顛峯時間，而設計館員工作的時間表，此種觀察記錄反映出兒童室被利用的模式，使圖書館能更有效的分配人員工作的時段與地點，進而使兒童室得到充足的人力支持，服務更臻完美。

第二層次爲活動的評鑑（ program evaluation)評鑑該活動的影響力（ impact ）及效益性（ effectiveness)，此層次的評鑑爲決定是否因某計劃的執行而在特定地點、對象間產生變化。例如美國賓州Wolfsohn圖書館幼兒故事活動的家長評鑑（ Toddler Story Hour, Parents Evaluation ）（見附錄二）。又如圖書館要決定是否因爲兒童圖書館員在圖書館內及學校舉辦書談（ booktalk)活動，而導致兒童閱讀態度的改變，可經由學校圖書館員及教師的合作，利用標準衡量方法比較兒童參加活動前後的閱讀態度，而顯示該活動的影響力（註二〇)。假如活動的目的是提高兒童的閱讀興趣或喚起兒童對某些優良讀物的注意，應利用書談所用各書流通量的增加而衡量。因此，在決定活動評鑑的方法時，必須先清晰地對該活動產生的影響及可能的效益性有個概念。換言之，活動評鑑也便是企圖探究影響活動效益性的各種不利因素的一種方法。在兒童圖書館服務方面，一般可能遭遇的主要不利因素，大致有下列六種（註二一）：

(1)評鑑術語所謂「歷史」(history)　此爲設計活動者無法控制，而又能影響活動效益性的外在因素，如在活動舉辦時正值突發的不良天氣，或放映很受歡迎的電視節目等。此為每位兒童圖書館員舉辦活動時可能曾遭遇過的經驗。

(2)熟練度（maturation）　因為活動主持者或參與人員經驗的不足，而至影響活動的效益性。例如當每週經常舉辦的故事活動主持人更換時，在開始數週自然會影響出席人數，但經過一段調適時間，一切應該逐漸恢復正常，否則便是由於牽涉及其他因素，如故事選擇或活動時間不適當及說故事者的技巧稍遜………等原因。

(3)測試（testing）　在評鑑前提出一測試的問題因而影響了答案的正確性。譬如在書談活動前問兒童：「你們喜歡閱讀嗎？」兒童的回答多半是異口同聲的：「喜歡！」;在書談活動後，若再問同一問題，則回答也不會有很多大差異的，因此乃至無法測知此活動的眞正影響及效益性。在此情形下，掌握不利因素的最佳辦法為：以背景相同而沒有參加書談活動的另一組兒童為觀察對象，然後再就這兩組觀察的結果作一比較，來瞭解此一活動的影響及效益性。

(4)工具（instrumentation）　觀察方法能影響評鑑結果及其可信度。譬如由於問者的用語或答者的詮釋可能導致不同的答案，因此最好在衆多兒童間試驗同一問題，以確證他們的瞭解程度。即使評鑑的方法可以信賴，但結果並不一定正確。學者D'Elia曾指出：利用「公共圖書館服務成效評估」方法，可能是衡量利用者的利用行爲，而非資料的利用情形（ availability ）（註二二）。從兒童服務的觀點而言，輸出服務成效評估方法在某些方面尚欠週密，因爲它沒有考慮人口年齡結構的因素；衡量方法中除了沒有考慮兒童所佔比例，也忽略了部份成人係爲了教育子女而利用圖書館，似有混淆兒童服務的傾向。

(5)回歸（ regression ）　評鑑者未能認清因評鑑而導致的改變現象是淵源於計劃或活動的施行，或因爲所選擇的觀察對象而致，換言之，所選擇觀察的對象是否代表探證者意欲採集爲結論的對象，而導致評鑑結果的誤差。

(6)消滅（ attrition ）　舉辦活動期間，如有聽(觀)衆人數驟然減少的現象，顯然該活動已發生問題，但其原因也有多種，如活動時間太長、公共關係不好等。而停止參加活動者是何許人，也是解說此現象的重要關鍵，假如他們是圖書館舉辦活動的主要對象，則此活動的失敗性便較嚴重了。因此評鑑暑期兒童閱讀活動出席人數時，應特別注意年齡及性別的分析。

上述各種不利因素，事實上還可能互相影響，因此活動策劃者對個別不利因素如有較深度的瞭解，將更能有效地掌握活動的效益性。

第三層次爲評鑑研究（ evaluation research ）學者專家利用科學方法研究與實務相關的理論，並提供予圖書館業者參考。唯目前從事兒童圖書館評鑑方面的學術性研究，仍偏重於兒童圖書館資源的內涵，而對於圖書館服務對兒童的影響或效益性評估的研究並不多見。其中比較重要者有Bodart 女士測試書談對青少年閱讀態度的影響（註二三）；Smardo 教授研究不同型態的故事活動及兒童易接受的語言之影響（註二四）；Powell先生等調查研究某些兒時的親身經驗對成人後利用圖書館的影響（註二五）；Heynes 女士研究評估有助增進兒童字彙的暑期活動（註二六）；Fasick 及 England 教授的比較研究加拿大公共圖書館兒童讀者與非讀者對媒體的偏好（註二七）等。Benne 女士曾在專文中指出，評鑑兒童圖書館的基本問題，是在於兒童服務的目的缺乏明確的界定，而此又與兒童圖書館服務欠缺理論基礎有關。所以從事實務的兒童圖書館員平時必須多注意各種相關理論的研究結果，並瞭解自身的工作績效是有賴於具備健全的理論基礎，而非照本宣科，故步自封地依循傳統的作業方式。如果兒童圖書館員能多涉獵各種評鑑制度的理論研究，無疑地將會大幅增進他們規劃活動、提供服務的能力（註二八）。

㈢評鑑進行的策略

學凡在作評鑑之前，便應有清晰的評鑑目標、正確的衡量方法及足夠的有關資料等，但具備這些條件也並非是評鑑必然會成功的保證。由於經過評鑑而顯示出的後續改進問題是猶待行政人員去支持、策劃、解決的，簡言之，評鑑的成功與否純視策劃評鑑者是否充分掌握到該組織之價值體系（ value system ）的究底（註二九）。學者 Davis 及 Salasin 曾經建議，在進行評鑑作業前即應先審慎考慮下列八個因素（註三〇）：

⑴該評鑑機構在經費、資源、人員各方面是否有能力作此評鑑，而且是否能確實運用評鑑的建議加以改進。

⑵該機構是否穩固，指決策結構是否開明，是否有意願謀求改進；管理部門是否能接受批評，並確實去執行。

⑶是否具備支援評鑑所需要的各類資訊。

⑷評鑑時瞭解該機構的狀況，這將涵蓋最近作業的變異，新舊領導層、讀者關係、內部員工的矛盾，以及是否易於接受批評及交換意見等方面。

⑸進行評鑑的時機應與該機構其他活動或計劃相配合，俾利於執行評鑑後的改進。

⑹機構內部是否有不滿現況的現象，如果有則較易於進行改善。

⑺在任何機構中，抗拒改變的力量是必然存在的，因此評鑑者必先瞭解它的來源及虛實，才能成功地着手策劃評鑑工作。

⑻管理層面於評鑑前，有明確重視評鑑的態度，並強調期望運用評鑑的結果以謀改進。

上述八因素不僅是提供機構外評鑑者參考之用，亦應提供與機構內部主管及將接受評鑑部門人員參考。假如兒童圖書館員事前不知該分館的兒童服務業務將接受評鑑，兒童部門主管也不知管理層面將因評鑑結果的建議而要求改變某些服務項目，在圖書館經營管理行政上是極不妥當的。最後，兒童圖書館員在評鑑兒童服務時尚會面臨一特殊問題，由於兒童圖書館員的業務特質，較容易與圖書館行政體系中的其他上級層面主管疏離或孤立，因此在評鑑作業程序中，比較會缺乏所需的資源與支持。以兒童圖書館員評鑑兒童利用卡片目錄情形為例，在該圖書館施行自動化前，兒童圖書館員利用上述評鑑結果，建議兒童讀者在檢索資訊時需要多種而且比較通俗的標題檢索點（ subject heading access points ），該館員可能便會因此與分館主任或兒童服務協調主任的看法不同，因爲他們都可能深知上級主管的意向，即圖書館的預算不可能包括提供此層次的服務。

㈣兒童圖書館服務評鑑實例舉隅

茲特列舉六個美國實例於後，略加闡釋前述各學者專家的評鑑理論觀點，俾供國內公共圖書館兒童部門，設計評鑑方法時的參考：

⑴在一九八五年春，美國維吉尼亞州Fairfax 郡立圖書館某分館認爲對當地少年提供的服務不理想，便以引起少年們對圖書館服務的注意爲目標，設計系列活動，並稱之爲「北極星計劃」(Lodestar Project），在進行過程中，圖書館員對各學校的英文教師說明活動內容及目標，並經由教師們將活動系列壓軸戲——競賽的票分贈學生們，參加競賽者必須憑票進入圖書館。評鑑該活動的簡單方法爲：圖書館所收票數÷圖書館發出票數。此種方法也可用作評鑑類似的其他活動。

⑵美國賓州普魯士郡的Wolfshon 圖書館曾試辦系列的幼兒（二歲）故事活動。在活動前發給家長們問卷（見附錄二），要求他們隨時觀察幼兒的反應，並加以記錄以便於回答問卷。此亦爲評鑑活

動成效的一種方法。

⑶美國維吉尼亞海灘圖書館的主管，計劃將圖書館內學辦的說故事活動錄音後在電台廣播，並設計了一活動可行性（包括所需經費及計劃時間）的評鑑表（見附錄三）。在圖書館發函出版者，請求允許將故事錄音廣播後，不但獲得出版商同意免費使用故事，且該系列活動也在四個月內策劃完成。

⑷兒童圖書館員可以利用「代表讀者」的方法（the proxy method）來評鑑該館兒童參考諮詢服務的成效。此方法似乎較前述計算參考諮詢服務滿足率（參考諮詢服務圓滿回答之總數÷使用參考諮詢服務之總次數）更有用，因爲圖書館員不但可以研究問題答案的品質，更可以研究館員與讀者間互相溝通的情形。但對行政人員而言，此方法則比計算回答率方法複雜。

⑸圖書館主任認爲兒童圖書館員工作性質太專門，在分館內設置一專任兒童圖書館員是浪費經費，便決定僱用一通才圖書館員（generalist），在理論上他更可以爲各年齡層的讀者服務。如果該主任在作此決定前先作一評鑑，統計兒童圖書館員服務成人讀者的人數，及當兒童讀者不在兒童

室時，兒童圖書館員所從事的其他活動；評鑑結果雖然未必能完全消除主管的偏見，但至少可以指出問題的癥結所在——主管的偏見並非事實；同時也能指出，兒童圖書館員的工作性質太專門是正確的，這樣也可以給予兒童圖書館員一個反省機會，瞭解自己業務的狹隘，進而謀求改進。

⑹美國北卡羅林納州少年中心爲了瞭解一般少年對於該中心提供之「課後活動」的滿意度，乃設計了問卷（見附錄四）調查參加活動者的反應。該評鑑過程相當有系統且具評鑑性，因爲中心調查對象爲各地參加相同內容活動的少年，因此建立了相互比較參考的基礎。

附　註

註　一：臺北市立圖書館，建立臺北市立圖書館自我評鑑制度之研究（臺北：著者，民76年），頁61-67。

註　二："Standards for Public Libraries," *ALA Bulletin* 27(1933): 513-514.

註　三：*Public Libraries Services: A Guide to Evaluation, Minimum Standards* (Chicago: American Library Association, 1956).

註　四：*Minimum Standards for Public Library Systems, 1966* (Chicago: American Library Association, 1967).

註　五：Vernon E. Palmour, Marcia C. Bellassai, and Nancy V. DeWath, *A Planning Process for Public Libraries* (Chicago: American Library Association, 1980); 盧秀菊，「美國公共圖書館經營的計劃程序」，（臺大）圖書館學刊 第4期（民74年11月），頁133-158。

註　六：Douglas Zweizig and Eleanor Jo Rodger, *Output Measures for Public Libraries: A Manual of Standardized Procedures* (Chicago: American Library Association, 1982); 盧秀菊，「簡介公共圖書館服務成效評估手册」，書府第7期（民 75 年6月），頁28-33。

註　七：同註六，盧文，頁30-31。

註　八：Diana Young, "Output Measures for Children's

Services in Wisconsin Public Libraries," *Public Libraries* 25 (Spring 1986): 30-32;盧秀菊，「公共圖書館服務成效評估方法與應用」，中國圖書館學會會報第39期（民75年12月），頁2。

註　九：同註八，頁31。

註一〇：Alice P. Naylor, "Reaching All Children: A Public Library Dilemma," *Library Trends* (Winter 1987): 388.

註一一：Mary K. Chelton, "Evaluation of Children's Services," *Library Trends* (Winter 1987): 464-68.

註一二：Eleanor Chelimsky, "Old Patterns and New Directions in Program Evaluation," *Program Evaluation Patterns and Direction*, edited by Eleanor Chelimsky (Washington D.C.: ASPA, 1985).

註一三：Jane Robbins-Carter and Douglas L. Zweizig, "Are We There Yet? Evaluating Library Collections, Reference Services, Programs, and Personnel," *American Libraries* 16-17 (Oct. 1985-March 1986): 624-27, 724-27, 780-84; 32-36.

註一四：Mary Jo Lynch, "Measurement of Public Library Activity: The Search for Practical Methods,"*Wilson Library Bulletin* 57 (Jan. 1983): 388-93.

註一五：Carol H. Weiss, *Evaluation Research: Methods of Assessing Program Effectiveness* (Englewood Cliffs, N.J.: Prentice-Hall, 1972).

註一六：W. Boyd Rayward, "Programming in Public Libraries: Qualitative Evaluation," *Public Libraries* 24 (Spring 1985): 24-27.

註一七：Mary K. Chelton, "Developmentally Based Performance Measures for Young Adult Services," *Top of the News* 41 (Fall 1984): 39-51.

註一八：Barbara B. Moran, "Survey Research for Libraries," *Southern Librarian* 35 (Fall 1985): 78-81.

註一九：同註一一，頁 469-74。

註二〇：James L. Thomas and Ruth M. Loring, ed. *Motivating Children and Young Adults to Read* (Phoenix, Ariz.: Oryx Press, 1983).

註二一：同註一一，頁 471-74。

註二二：George D'Elia, "Materials Availability Fill Rates Useful Measure of Library Performance?" *Public Libraries* 24 (Fall 1985): 106-10.

註二三：Joni Bodart, "Book You!" *Voice of Youth Advocates* 9 (April 1986): 22-23.

註二四：Frances Smardo, *What Research Tells Us About Storyhours and Receptive Language* (Dallas: Dallas Public Library and North Texas State University, 1982).

註二五：Ronald R. Powell et al., "Childhood Socialization : Its Effect on Adult Library Use and Adult Reading," *Library Quarterly* 54 (July 1984): 245-

64.

註二六：Barbara Heyns, *Summer Learning and the Effects of Schooling* (New York: Academic Press, 1978).

註二七：Adele Fasick and Claire England, *Children Using Media: Reading and Viewing Preferences Among the Users and Non-Users of the Regina Public Library* (Saskatchewan: Regina Public Library, 1977).

註二八：Mae Benne, Educational and Recreational Services of the Public Library for Children," *Library Quarterly* 48 (Oct. 1978): 499-510.

註二九：Delmus E. Williams and Drew Racine, "Planning for Evaluation: The Concept of Pre-Evaluation," *LAMA Newsletter* 11((Sept. 1985): 73-75.

註三〇：同註二九。

第三章　兒童圖書館的經營與管理

壹　兒童圖書館服務的理論基礎

• 貳　兒童圖書館員與經營管理

• 叁　如何發展培訓兒童圖書館員

現代社會裡的團體組織，無論其規模大小,型態如何,性質若何，都不能沒有經營與管理來維繫延續其生存。因此，經營與管理對現代社會的團體組織而言，其重要性當然是不容置疑的。有團體組織便須有經營與管理來維繫延續其生機，兒童圖書館當然不能例外。兒童圖書館雖已在我國有悠久歷史，但有關其經營與管理方面之探討申論的資料尙不多見。玆謹淺涉近年來先進國家經營與管理資料，簡略申述於後。

壹　兒童圖書館服務的理論基礎

曾有人批評兒童服務盡是依據迷信(superstition),了無科學基礎(註一)。例如「兒童室具備優良讀物，兒童便能成爲懂得選擇讀物的優良讀者」便是基於迷信，而非科學的推理，若就此例深入分析便瞭解，兒童成為懂得選擇讀物的優良讀者，可能因為領悟力强的兒童在兒童室接觸到優良讀物；或懂得選書的兒童在兒童室選出優良讀物；或是因為有第三者（如家長、朋友或圖書館員）將優良讀物介紹給他，而並非僅直接因為有優良讀物在兒童室的緣故。我們尙無法掌握足夠的證據作如此科學性的論斷。無論如何，迷信不但妨礙實行有效的圖書館經營與管理，而且有礙於圖書館界對新環境的適應（註二）。兒童圖書館員因為有上述的迷信，他可能會傾向增加規劃館藏的預算，而删減工作人員的經費。但事實上，兒童室除要具備優良的讀物外，更需要人員輔導讀者們利用讀物，方有可能產生優良讀者的效果。換言之，則依據前述迷信所作的決策將會減低培養優良讀者的機會。另外一個不科學化措施的例子為：兒童室館員深信唯有參考各種書評（book review）方可以判斷讀物的良莠，那麼沒有書評的讀物豈不是被圖書館忽視了嗎？因此，兒童圖書館員應盡量避免基於迷信所做的措施。但由於兒童服務——尙缺乏週全的理論根據及豐厚的研究資料和一些已經確認的科學事實做為它的基礎，我們實在亟需對兒童服務的基礎理論再深入探討。往昔我們一向認為，兒童服務係以吸引兒童參加活動；提供有助於學習的資料予學齡兒童；提供兒童適當的外借讀物享受閱讀樂趣等為其存在的理由。日積月累，久而久之，我們已習慣性地相信兒童圖書館提供的服務對兒童都是「好的」，而忽略了考慮它是否是「最好的」。爲了避免不科學的觀念繼續綿延影響兒童服務，並加强發揮兒童服務對兒童生活的積極功能，我們需要更多科學化的基礎研究。今日的兒童圖書館員必須能具體地向社會大衆說明他的工作效益以獲得支持，而科學化的基礎研究不僅有助於說明兒童圖書館的服務，同時更可幫助解決經營管理的問題和策劃。近年來這方面的研究已有逐漸增加的趨勢（註三），這將有助於兒童服務理論基礎的建立和鞏固，以及實務的改進。

在一九八四年，美國的全國教育改進委員會（The National Commission on Excellence in Education）提出美國教育制度面臨危機的呼籲後，美國圖書館協會也成立了教育改進專案工作小組（Task Force on Excellence in Education），致力於探討圖書館在消弭這個危機中所能扮演的角色，並確認美國圖書館專業面臨的四項現實：

⑴學習始於學前。

⑵好的學校必須有好的圖書館。

⑶在一個求知導向的社會，每個人終身都需要圖書館。

⑷公衆對圖書館的支持即是對大衆及社區的投資。

並重中圖書館及資料中心的服務與國家教育制度的健全與否有密切的關聯（註四）。

諸如鼓勵兒童閱讀及提倡書香社會，皆有賴於兒童圖書館能充份發揮其功能。因此在「使全國皆讀者」（*Becoming a Nation of Readers*）（註五）一書中，作者便建議下列數點：

(1)兒童入學前能參加閱讀、寫字及說話方面有關的活動，與其日後閱讀及學習的優異表現有密切關係。圖書館舉辦的學前兒童故事時間及為幼兒設計的活動，將會有益於培養兒童的優良閱讀習慣。

(2)我們更應支援學齡兒童，使他們繼續成長為閱讀者。圖書館舉辦的暑期閱讀活動、閱讀遊戲及競賽等活動，皆有助於兒童他日成長為閱讀者。

(3)提供兒童獨立閱讀的時間，有趣而能瞭解的讀物及館藏豐富的圖書館。

上述的三個具體建議是當今世界學者專家們大力支持設置優良兒童圖書館的明證，尤其是以加强讀者顧問服務（readers advisory services）及拓展館藏為兩大要務，並且將圖書館的兒童服務與學生的閱讀問題相提並論，同等重視。

圖書館學者 Adele Fasick 以加拿大兒童為對象，調查公共圖書館滿足兒童課外閱讀需要的情形，發現圖書館的服務不必做很大的改變，也可以誘導非利用者成為利用者（註六）。總言之，優良讀物確有助於兒童從事閱讀；讀者顧問服務及提倡閱讀更可加强閱讀指導；而傳統的圖書館活動可支援好的學校教學計劃。假如Fasick 女士的研究結果是正確的，我們也可以認為兒童利用圖書館的模式是可以改變的，圖書館的非利用者可以被影響為利用者；研究結果提示我們，圖書館員經由館藏的發展，個別的閱讀指導及圖書館的活動，能帮助兒童成為更好的讀者。

研究為改進的基礎，沒有穩固的研究理論基礎，努力改進的結果是端賴機運的；非由智慧獲得的成功，終究也會潰散的。我們期盼為下一代建立優異的圖書館環境，更可利用教育界有關的研究資料來確認目標，俾設計配合兒童學習上需要的活動；圖書館教育學者及實務工作者都應不時評估基本的及改良的兒童服務，使它能落實發揮對兒童的影響力。先進國家學者們現階段的研究仍多偏重於兒童文學的內容方面，而對圖書館服務的研究似仍未受到應有的重視。且從事實務工作的兒童圖書館員也並不關心瞭解各種相關的研究成果，或藉機利用這些資料去改進兒童服務的品質。但在今日的社會，資訊就是力量，權威的研究資料有助於贏得大衆對圖書館服務的支持；研究可以探索出最適合兒童的服務；研究可以創造高品質的計劃。圖書館教育學者M. Leslie Edmonds 曾對兒童服務的研究工作，提出下列建議及結論：

⑴在圖書館專業本身的態度上，兒童圖書館員要接受改變，因為它是必然的，且心理上也應該有所準備。而從事實務與學術研究者必須合作，才能改進服務的品質，使研究的成果能落實地被利用來為大衆謀福利。

⑵機構及專業組織應大力支持各種研究計劃，除了經濟援助外，更應給予工作人員時間、地方及允許他們從事研究，作為工作的一部份。從理論上而言，圖書館教育學者是專業中比較有時間及經濟支援的研究人員。

⑶兒童服務方面的研究工具仍待加强。研究人員從事研究時，常會感到缺乏明確的評估架構及依據。圖書館界實應多吸取其他學科（如心理學、社會學及教育學……等）已有的問卷、測驗或其他工具，加以修改應用。

⑷研究人員應注意自身有道德責任及法律義務保護研究對象——兒童的權益，例如必須徵得研究對象父母的同意及保護兒童的隱私權等。

⑸尋求並培訓研究人員。

⑹研究人員必須出版並公開研究的內容及成果；從事圖書館實務工作者更應配合出版的研究成果有所反應，如提出質疑、或利用工作機會測試研究成果的可行性等。

因此，為了促進兒童服務理論基礎的建立，我們亟需針對下列四方面努力：

(1)積極要求在這方面的研究。

(2)爭取研究計劃及研究人員財務及工作上的保障。

(3)亟力改進研究兒童的實驗過程。

(4)必須採取必要的措施去實行各種研究計劃。

簡言之，要改良兒童服務，必須掃除以往曚混不清、不科學的概念，而代之以科學的觀念。當前的要務，首先便是檢討傳統服務的依據，決定其是否爲迷信，亦卽基於不科學的論點，再加以改進（註七）。

貳　兒童圖書館員與經營管理

兒童圖書館員所扮演的角色及他的任務，隨著時代與社會的變遷，也會有不同的詮釋。在一八七六年，美國圖書館界先進William I. Fletcher 首次提出他對兒童閱讀需要的關懷，並勉勵圖書館員們儘可能早日策劃爲小讀者提供服務。當時他斷然指出：「如果不讓兒童們的心智追求最崇高的境界，我們公共圖書館的任務將會遭受嚴重的挫失（註八）。」在一八九〇年到一九一四年間，美國圖書館員逐漸開始有以婦女爲主的關心人仕，投入爲兒童們服務的行列。美國圖書館協會的第一個兒童部門（section）成立於一九〇〇年，當時推動並支持此創舉的，包括圖書館界先進C. Hewins, R.R. Bowker, L. A. Eastman, Mary Wright Plummer 等人，他們均相信兒童的利益在圖書館的公衆服務中不容忽視。

一般人對兒童圖書館員的看法通常是基於他們對自己的服務態度、舉辦的活動及專業技能而生的反應。美國早期的兒童圖書館員大都受到讀者們的愛戴和敬畏，當時他們是圖書館員行列中最優秀、富專業知識，且最富愛心的一夥。圖書館長及教育家M. W. Plummer 早在一八九七年便曾就兒童圖書館員的資格作過精闢的說明，她說：假如圖書館中的一位助理，具備書本知識（book knowledge），受過良好教育，開明、具有技巧、常識及判斷力，本人及其態度吸引兒童和其他優良的品格，她應該被分派到兒童部門工作，而且要給她足夠的薪金，使她安心留下來工作（註九）。在廿世紀初期，美國兒童圖書館界產生了一些有抱負、有遠見、有毅力的領導人物，如Anne Carrol Moore, Frances Clarke Sayers ………等，她們是拓展當時兒童服務的動力。一九四〇年代，哥倫比亞大學圖書館學院院長Robert D. Leigh曾說道：「美國公共圖書館的兒童服務有令人印象深刻的成就。兒童圖書館員本身是這方面的專家，他們在社區文化活動中被推崇爲專家。因此，兒童室及兒童圖書館員都可以說是今日公共圖書館成功的範例（註一〇）。」一九六〇年代末期，美國的政治動盪，經濟蕭條，當時兒童服務便被視爲特殊、奢侈的服務。其實早在二十世紀初期，受愛戴的兒童圖書館員便曾被攻擊爲「利他主義的、情緒化的、戲劇化的及狂熱的愛兒童者」，他們甚且被指責浪費圖書館的金錢、時間及設備。

一九七○年代，由於科學經營管理方式進軍圖書館界，驅使圖書館的行政主管開始分析、衡量及評鑑各種服務的成效，兒童圖書館員便開始成爲「受害者」。他們被批評爲注重小節、喜歡抱怨及不稱職的經營管理者；提供不合時代潮流的服務，而又不熱心參與公共圖書館的經營與管理；只盲目的接受Anne Carrol Moore女士的名言：「將兒童與圖書快樂的結合起來」做爲事業的最高指導原則。的確，多數的兒童圖書館員具有他們恒久不變的信仰及行爲模式，致使兒童服務每況愈下或逐漸被排斥。一九七八年美國研究兒童圖書館管理的學者，Carolyn Coughlin 便曾指出：「兒童圖書館員應儘早放棄扮演以道德動機爲出發點的照顧者角色；全心致力於傳播理念，而不是做善事（註一一）。」關注到一九七○年代兒童圖書館員之困境的學者專家們也呼籲，兒童圖書館員該進一步自我檢討，應如何才能推廣兒童服務，並提昇對整個圖書館的服務（註一二）；問題實在於兒童圖書館員本身過份重視自身行業的資料，而忽略了檢討其專業的目標及效果，乃致形成自我孤立主義及未參與推動整個圖書館專業所關心的事情（註一三）。數十年前，兒童圖書館界領袖F.C.

Sayers 便曾警惕兒童圖書館員不要有偏狹的想法，因爲「兒童圖書館員很重要的功能之一，是充當兒童與成人世界間的詮釋者。假如他們自己與成人世界隔離孤立，不了解文學中探討的人與人間不斷改變之關係，他們怎麼能達成這賦與的任務呢（註一四）？」十餘年前西方各先進國家的兒童圖書館員，仍多無法充分接受科學的經營管理理念，如發展評估服務成果的方法；依據活動的目的及成本來重估、選擇活動；而兒童活動節目的策劃，如何與圖書館整體使命相配合的問題，以往也從未曾作過探討。圖書館學者Kathleen Strelioff 便曾指出：兒童活動節目可能不只耗費金錢，它更可能掩飾了兒童服務的眞正功能。她說：「兒童圖書館員權充藝術家、音樂家、偶戲演出者等等，往往爲了討好小讀者，過度渲染誇張，致使服務品質受到不良影響；同樣地，兒童圖書館在人員、訓練及經費匱乏的情況下，也會使其服務品質日趨低劣，因而今日的小讀者不上圖書館，是由於他們不能從那兒獲得所需要的資訊服務（註一五）。」在一九一〇年時代，美國兒童圖書館員用盡心思，以各種方法如講故事、讀者俱樂部、比賽、展覽及訪問家庭等方式來吸引新讀者（註一六）。在一九七〇年代，一向以創新作風出名的美國 Baltimore County Public Library 爲了應付預算的縮減，也曾決定訓練一批能服務各年齡階層的圖書館員，以取代薪資較高的各年齡層專家。Baltimore County Public Library 的行動表示圖書館中，兒童圖書館員不再是「特別」的，所謂「兒童圖書館員要熟知兒童及兒童文學」的時代似乎受到挑戰了。Margaret Mary Kimmel 教授批評 Baltimore County Public Library 的通才館員（generalist）的作法是一種「將專業目的轉向短期目標的作法。」Baltimore 圖書館館長 Robinson 則解釋說：並非認爲通才館員能提供比年齡層專家更好、更專門的服務，但在目前的預算狀況下，則通才館員似可能提供最好的服務（註一七）。

總言之，兒童圖書館員應常作自省，深刻了解自身在整個體系中的地位、客觀的環境、主觀的條件等等。如果偏離了這個原則，便會產生許多爲批評者所詬病的孤立、脫離現實、好高鶩遠，迷失兒童服務的正確方向等等脫節或不能與圖書館整體契合的不良現象。

叁　如何發展培訓兒童圖書館員

有人認爲電子出版業將使書本作廢，而利用資料庫檢索資料的方法，也使得圖書館顯得太落伍了。日新又新的科技發展的確爲圖書館界帶來了些震撼，如過份昂貴的資訊服務是否應收取費用？如何維持及管理不斷改變型態的資料？有人甚至懷疑公共圖書館在廿一世紀是否仍有存在的必要？兒童圖書館則似乎是這動盪而又變異的圖書館界中比較安靜的一角，因為傳統式書本仍舊受到兒童們的歡迎；兒童們喜愛的讀物及作家也沒有改變太多。但在過去短暫的數年裡，兒童服務中也展現了些新的事物。以館藏而言，電腦已進入兒童室；錄影帶、電子遊戲、玩具、寵物及其他型式的媒體已普遍被引介入先進國家的兒童圖書館。就服務的層面而言，圖書館逐漸重視透過社區團體、學校及成人服務兒童，也重視提供適當的資料(包括種類、型態)滿足特殊讀者的需要，例如有學習困難者、資優者、殘障者；而圖書資料的內容除了多元化、多層次外，不論在文字、插圖及版式等方面，也日漸注意到配合兒童的不同社會價值觀念等問題。

主持兒童圖書館業務的館員，絕對不應該因為終日忙於處理不完的例行事務，而忽略了扮演經營管理者的重要角色。美國德州女子大學教授Barbara A. Ivy 在專文中強調，今日社會中每個人都應該而且能發展他們領導及經營管理的能力至相當程度。如何來發展、培訓圖書館員經營管理的潛力和技巧，以因應今日圖書館界面臨的各種問題，是今日圖書館組織的要務之一(註一八)。兒童服務是整個公共圖書館組織中不可或缺的一部分，兒童圖書館員經營管理的潛力和技巧的發展培訓之不可忽視，當不容置疑。行政主管可以館員現在職位的各項工作，有計劃地發展培訓其經營管理的潛力和技巧。一般公共圖書館主管趨於物色一位兒童圖書館員負責兒童室業務而已，總認爲兒童圖書館員是受過特別訓練，具備專門技巧，當然能勝任經營管理兒童室的工作。這種認識雖然表示對兒童圖書館員專才的重視，但無法對發展培訓其經營管理的潛力和技巧發生積極的效果。主管應該從整個圖書館組織及兒童部門面臨的問題著眼，了解兒童圖書館員究竟需要那些因應的經營管理技巧，而給予有計劃的訓練及發展。在公共圖書館兒童服務部門（兒童室或兒童圖書室、閱覽室）裏（註一九），兒童圖書館員對該部門的資料、參考服務的需求及活動等都能成爲專家，若是將該部門視爲圖書館中的一個小天地，一切自理，而孤立於其他部門，便容易引起館內溝通不良的問題，甚至在預算拮据時，人員流用便會困難重重。近年來公立機構均重視界定各部門的職責，圖書館也需要清楚的說明其服務內容及服務社區的程度，以獲得肯定與支持。因此便有評估各種服務的措施，但評鑑兒童服務的標準比較複雜，因其服務性質較特殊，對象雖以兒童爲主，但執行評鑑作業者卻是成人（包括家長、教師或其他成人）。

在一九三七年，行政學者Luther Gulick及Lyndall Urwick將經營管理者的功能分爲七項:計劃(planning)、組織（organizing）、指示（directing）、人事

(staffing)、協調(coordinating)、報告(reporting)及編列預算(budgeting)(註二〇)。學者Robert L. Katz在一九五五年的一篇專文中，指出圖書館經營管理者的三種基本技能為技術的(technical skills)、人際的(human skills)及概念性的(conceptual skills)技巧，而它們均是需要後天的發展培訓方能獲得的(註二一)。

⑴技術上的技能：接受圖書館專業訓練所獲得的技能，也就是在專業工作上所表現的能力。此為比較容易評估的部份。

⑵人際的技能：這是領導及溝通的能力。如在兒童部門領導及鼓舞同仁，或與兒童、家長、教師等溝通或協調相互間的關係或活動，以充分配合發揮兒童服務對整個圖書館體系和社區讀者應有的功能。

⑶概念性的技能：觀察及衡量個體與整體組織間關係的能力。我們必須了解圖書館能發揮功能，全賴各部門間、部門與員工間及員工與員工間的互相合作；大家息息相關；某一個別部門產生脫節或不協調的現象，將會影響全局。兒童圖書館員應具明察該部門與整個圖書館，以及專業、社區及社會的關係，總以顧及整體利益的原則來考慮解決該部門的問題。學者Henry Mintzberg 更認為圖書館經營管理的工作層面中較重要的有：如何發展同仁

間的關係，鼓舞屬員的士氣，化解各種衝突，建立資訊網路，在資料尚未收集齊全仍能作明智的決策，妥善分配各種資源等等（註二二）。我們深知如想做好這些工作，當然先要在Gulick及Urwick 提示的七大功能及Katz 三種基本技能方面，奠定良好的基礎。如果我們能深入探討Katz 三種基本技能和兒童圖書館員的關係，那麼那些因素是有助於發展培訓圖書館經營管理的領導人才便可了然了。

在兒童圖書館專業生涯的早期，因圖書館著重於發展館員的專業技能，可能使新館員認爲他的重要性完全在於其專業性工作方面的表現，而不太清楚本人在整個組織中的位置。譬如往往自以爲他的地盤（兒童室）已建立，固守其「城堡」便是其天經地義的第一要務，因而可能妨碍其與圖書館中其他同事間的溝通，甚至會影響日後身爲經營管理者獲得資訊或建議的基礎。惟有在訓練期間輪調兒童圖書館員至其他部門作短期服務，使其有機會吸取並比較各個別部門的政策及工作程序。在初期的訓練階段後，兒童圖書館主管應該鼓勵館員們自由、開放地與其他部門溝通，積極發展資訊來源的網路，以備將來傳播資訊之用。圖書館內的委員會應該包括各部門的成員，鼓勵館員參加會議及繼續教育研討會，進一步發展專業技能，俾館員更明白圖書館理論與實務的相互關係，及其他圖書館的例行事務和實際服務的方法。

溝通技巧也屬於人際技能內，Mintzberg 認爲有效率的經營管理者應該發展廣大的資訊網路，它們有助於認淸問題與機會（註二三）。將兒童圖書館員安置於能發展及擴大網路的工作是非常重要的。在自身圖書館內建立網路固然重要，但與其他兒童圖書館員保持聯繫也是必須的，兒童圖書館員可以利用各種研討會或會議與其他兒童圖書館的館員聯繫。另外一項人際的技能，是對組織的權力結構要敏感，優秀的經營管理者必須明瞭組織內各單位的個人對某一問題的看法。兒童圖書館員必須明瞭社區，甚至社會整體的人際及政治關係；提供活動及參與各種成人的會議，如家長敎師聯誼會、敎師小組座談等，將有助於擴大兒童圖書館員對社區層面的了解，同時也增加他們對社區人際及政治關係的敏感度。

最後，概念性的技能乃是兒童圖書館員在部門或組織之外，能看淸其中內部相互關係，及社區、整個社會政治世界之關係的能力。它可能是每位經營管理者所必須發展的最重要技能，作決策時，也是最有價值的。其重要性爲能分析組織性的狀況以及明察多種已存在而被忽略的關係。假如安排兒童圖書館員參加各種圖書館的委員會，使館員能獲得多種訓練機會，並建立與其他同事間的網路，如此可解決以特定讀者導向部門，可能產生的隔離或孤立問題。

此外，還應該鼓勵同事間互相切磋，交換經驗，而圖書館也應坦然地從不同的角度，審愼考慮館員提供的新構想或建議。學者Wrapp　且建議有效率的經營管理者，應儘可能挪出時間及精力，關注會影響組織未來長程發展的重要性計劃(註二四)。對兒童圖書館員而言，可能是重視某些能引起成人而非兒童回響的兒童服務。另一項要發展培訓的概念性技巧，乃是要深入認識圖書館經營管理工作，也是一個經繼續不斷評鑑所作決策的程序，不僅要評估所建立的關係，看是否有預期的改變產生，更要鞏固發展未來經營管理決策的基礎。因爲世界唯一不變的眞理，便是從過去失敗經驗中，吸取發展日後因應現實的新方法。

圖書館界中優秀的經營管理人才不可謂不多，唯在兒童服務方面的優秀經營管理人員，往往不是被長期侷限於該部門工作無處伸展，便是改行別業離開了兒童服務的範圍。今日圖書館若欲充分發揮時代賦與它的功能，亟須積極有計劃地發展培訓兒童圖書館員及其他館員的經營管理技巧，以迎接明日新挑戰。

附　註

註　一：M. Leslie Edmonds, "From Superstition to Service: The Role of Research in Strengthening Public Library Service to Children," *Library Trends* (Winter 1987): 509.

註　二：同註一。

註　三：Marilyn Louise Shontz, "Selected Research to Children's and Young Adult's Services in Public Libraries," *Top of the News* 32 (Winter 1982): 125-42.

註　四：American Library Association, Task Force on Excellence Education, *Realities: Educational Reform in a Learning Society* (Chicago: ALA, 1984), p. 1.

註　五：Richard C. Anderson, et al, *Becoming a Nation of Readers: The Report of the Commission on Reading* (Washington D.C.: National Institute of Education, 1984).

註　六：Shirley Fitzgibbons, "Research on Library Services for Children and Young Adults: Implications for Practice," *Emergency Librarian* 99 (May/June 1982): 11.

註　七：同註一，頁 516-19 。

註　八：Harriet G. Long, *Public Library Service to Chil-*

dren: *Foundation and Development* (Metuchen, N. J.: Scarecrow, 1969), PP. 80-81.

註　九：Mary Wright Plummer, "The Work for Children in Free Libraries," *Library Journal* 22 (Nov. 1897): 681-82.

註一〇：Robert D. Leigh, *The Public Library in the United States* (New York: Columbia University Press, 1950), PP. 99-100.

註一一：Caroline M. Coughlin, "Children's Librarians: Managing in the Midst of Myths," *School Library Journal* 24 (Jan. 1978): 15-18.

註一二：Anne R. Izard, "Children's Librarians in 1970," *American Libraries* 2 (Oct. 1971): 977.

註一三：Virginia Van Vliet, "The Fault Lies Not in Our Stars--The Children's Librarian as Manager," *Canadian Library Journal* 37 (Oct. 1980): 329.

註一四：Frances Clarke Sayers, "Of Memory and Muchness," in *Summoned by Books: Essays and speeches* by Frances Clarke Sayers, Compiled by Marjeanne Jenson Blinn, (New York: Viking, 1965), p. 44.

註一五：Kathleen Strelioff, " A Theoretical Model of An Ideal Library Service," Unpublished specialization paper, Graduate School of Library and Information Science, University of California at Los Angeles, 1984, p. 2.

註一六：Dee Garrison, *Apostles of Culture: The Public Librarian and American Society, 1876-1920* (New York: Free Press, 1979), p. 206.

註一七：Margaret Mary Kimmel, "Baltimore County Public Library: A Generalist Approach," *Top of the News* 37 (Spring 1981): 301.

註一八：Barbara A. Ivy, "Developing Managerial Skills in Children's Librarians," *Library Trends* (Winter 1987): 449.

註一九：Robert D. Stueart and John Taylor Eastlick, *Library Management*, 2d ed. (Littleton, Colo.: Libraries Unlimited, 1981).

註二〇：Luther Gulick and Lyndall Urwick, ed., *Papers on the Science of Administration* (New York: Columbia University Press, 1937).

註二一：Robert L. Katz, "Skills of an Effective Administration," *Harvard Business Review* 52 (Sept./Oct. 1974): 90-102.

註二二：Henry Mintzberg, "The Manager's Job: Folklore and Facts," *Harvard Business Review* 53 (July/Aug. 1975): 49-51.

註二三：同註二二，頁218。

註二四：Edward H. Wrapp, "Good Managers Don't Make Policy Decisions," *Harvard Business Review-On Management* (New York: Harper and Row, 1975), p. 5.

第四章　兒童圖書館的服務

- 壹　兒童圖書館服務的本質
- 貳　兒童圖書館服務的多樣性發展

㈠與學校合作提供社區全面性服務

㈡與教師、學校圖書館員合作

㈢與社區內其他機構團體合作

㈣重視暑期閱讀活動

- 叁　兒童圖書館的活動

㈠傳統活動的新面貌

㈡參與性的活動

㈢多媒體及新科技的活動

壹　兒童圖書館服務的本質

由於社會型態及「兒童」觀念的改變；新科技的日新月異，提供配合社會大衆需要的兒童圖書館服務，也隨著有所改變。以往，兒童圖書館透過閱讀指導、讀者顧問服務、參考服務及其他活動提供兒童服務（註一）；如今因爲家庭結構改變，出外工作的家庭主婦人口增加，很多兒童接受自己家庭以外的照顧，個別由家長帶到圖書館利用各種服務的機會也自然減少。而一般兒童機構團體卻因不甚了解兒童圖書館的情形，或缺乏交通工具等原因，便無法把握住利用圖書館的機會。然今日社會頗重視兒童在認知、社會化過程等各方面的併行發展，美國圖書館協會有關文獻「現實：學習社會之教育改革」(*Realities: Education Reform in a Learning Society*)將「學習始自學前」("Learning begins before schooling")列為其首項目標，呼籲圖書館為社區各團體、機構提供資訊，並以各種方式服務家長、照顧兒童………等，俾有助於教育的推行，並且也倡導社會力量的結合（註二）。該文獻更呼籲政府官員撥款給公共圖書館，提供家長教育及學前教育的服務，同時更亟力建議聯邦及州法規，明定托兒活動中提供圖書及圖書館資源的必要性（註三）。最近美國另一地方性的調查也顯示，兒童一旦養成了利用圖書館的習慣，他極可能會隨著成長繼續維持這個習慣（註四）。

兒童服務，是公共圖書館服務中重要的一環。但兒童圖書館的服務並非是靜止的，它必須不斷的改進以適應兒童的需要。美國兒童圖書館學者Carol D. Iffland曾就這點作了下面一段精闢的敍述：

> 兒童圖書館事業的發展過程可譬喻為一棵橡樹。兒童圖書館的服務係基於以往奠定的基礎（樹根），而發展了「標準」、目標及目的，提昇了它服務的品質，其後更應不斷地評鑑其服務，以繼續提供兒童最佳的資料與服務。傳統的兒童文學及新近發展的各種形式與內涵的資料，是任何兒童圖書館服務的核心（樹幹），兒童圖書館具備了鞏固的基礎及服務的核

心後，更應與其他機構、團體合作，俾共享它的服務、設備及資源。同時，每位熱心服務館員的創見，勿論其鉅細，也將成為改進服務的因素之一。計劃、嚐試、評鑑、再嚐試的過程將是兒童圖書館發展的程序（樹枝）。兒童圖書館的發展具備了前述的成果後，便能樂於展示其所有與所長，歡迎大衆探索其寶藏，提供利用者各種新的經驗。兒童圖書館傳統活動的保留和更新，利用書本以外的方式傳遞資訊，和利用者共享經驗的喜悅等等，都能賦予兒童圖書館服務無窮魅力，便好似一棵屹立不動的橡樹，除了有雄壯的樹幹和樹枝外，那樹葉的沙沙作響或顏色的轉變將是最吸引人的（註五）。

今僅就兒童服務的多樣性發展、傳統活動的新面貌、增加參與性的活動及多媒體與新科技活動等方面討論於後。

貳　兒童圖書館服務的多樣性發展

由於社會快速發展，家庭結構的演變，導致兒童圖書館的服務方式也趨向於多樣性的發展，以因應今日兒童的需要；在家庭婦女外出工作的情形有增無減的情況下，教育兒童的部份責任，有從小家庭單位移向社會機構及學校的趨勢。兒童圖書館必須與社區內學校及其他機構團體密切合作，以獲得資訊的交流，提供配合需要的服務。今謹就如何「與學校配合提供社區全面性服務」、「與教師、學校圖書館員合作」、「與社區內機構及團體合作」及「重視暑期閱讀活動」等項目探討於後：

㈠與學校合作提供社區全面性服務

公共圖書館與社區內的學校合作，一直是圖書館界與學校共同努力的目標。惟圖書館與學校所屬行政體系不同，再加上雙方在人力及經費上均相當不足，所以成功的例子不多。臺北市立圖書館民生分館，因爲其經營管理比較上軌道，而民生國小又位於其附近，所以兩個機構較常溝通，且教師常帶學生至該館作班訪等活動，將來並計畫發展爲教學支援中心；板橋市立兒童圖書館位於板橋國小校內，隸屬板橋市公所，館長由市長代理。以往由學校一位教師負責，目前有正式編制人員五名，管理這臺澎地區硬體規模最大（單獨的三層館舍）的兒童圖書館。在民國六十七年初創時，的確也曾造成轟動，舉辦了不少活動，但近年來卻後繼無力。據統計，申請借書證者約有80％爲板橋國小學生，這可歸因於地緣關係。但因部份市民未了解其性質，而影響了該兒童圖書館的使用率，乃致未能達成計畫提供社區全面服務的初衷（註六）。作者於一九八六年暑期參觀考察過的美國加州洛杉磯市立公共圖書館中國城分館，倒的確是一個社區圖書館與學校合作成功的實例（註七）。此館創設於一所過份擁擠的小學（Castelar Elementary School）內之大禮堂，提供約一千名學生經年的服務。當初設立的目的僅是提供該校學生所需的圖書館服務，後來擴展到提供學生的家長及親屬們所需的服務。因爲該社區居民多是來自臺灣、香港、中國大陸及越南等地的移民，亟需資訊服務來幫助他們適應新的生活。今就該館目前以移民爲主要服務對象；該館與學校的合作安排；及該館有一個極不尋常的「圖書館之友社」組織支援等特別因素加以探討。

中國城分館從創設至今日的規模，其間全賴圖書館及當地學校同仁無時無刻地密切合作，時機與努力，加上圖書館上級主管及市政府、當地學校及其上級主管、地方上熱心人士的共襄盛舉，和社區外關心中國城社教發展的義務工作者全心的投入等。早在一九七三年當地人仕已建議在中國城成立分館，收藏中英文資料，以服務該社區不斷增加的移民。但因該區地居於總館五哩範圍內，不符設置分館規定。經過當地家長、學校及社工人員、工商界及社區領袖組織中國城圖書館籌備委員會，持續不斷向有關單位請求，終於一九七七年獲准在 Castelar Elementary School 大禮堂設置，成爲名符其實的學校及公共圖書館，該館具有優秀且經過選擇的工作人員，包括一位出生於中國而在美國及澳門受教育的專業人員（主任），她兼具了中英語文能力及對在中、美出生華人生活方式瞭解的背景，和一位說西班牙語而與中國人相處融洽的辦事員。學校與圖書館的合作安排為——由學校提供場地；該市公共圖書館提供圖書館的資源與服務；中國城社區則保證盡力參與並提供其他所需資源。上課時間學生利用圖書館，下午、晚上及週末則開放予社區大衆利用，館方並保持兩種不同流通記錄。中國城分館經過數年來的努力以後，終獲經費全面擴充該館。將大禮堂改裝為正式的公共圖書館，並附社區室、學校媒體中心及共用教室一間。而初期的圖書館籌備委員會也成為該館忠實的「圖書館之友社」，在擴展過程中無論籌款及策劃方面都扮演極重要的角色。值得一提者，其中二位委員為有經驗的華裔專業圖書館員，她們雖非社區居民，卻極關心該社區的福利。

由於該館服務對象特殊（移民），如今有三分之一的圖書館利用者為星期六、日專程從外地到館利用者；平均週日外借資料1,000 件，而在星期六竟達10,000 件；外借資料中 44 ％為英文、 52 ％為中文資料。在一九八五年間，該館空間約為12,000平方呎；一般館藏包括圖書、期刊、唱片及視聽資料等 40,000 件，館藏英文資料佔50％，中文資料佔 46 ％，其餘為越南及西班牙語文資料；特藏包括：⑴學習中英文的多媒體參考館藏；⑵華裔研究中國文化的英文圖書等；⑶40 種學生常用期刊微縮影片(microfiche)資料。從創館至一九八五年間該館工作人員爲 7½－9¾ 名，每位至少熟諳兩種語文，而每一位專業圖書館員都是全才館員（generalist），他們除了負責份內工作，更負責採購及整理所有中文資料，並發揮社區圖書館及南加州中文資料中心的功能，以滿足讀者的下列需求：

⑴學生課業方面。

⑵移民自修方面。

⑶華裔文化方面。

⑷各年齡層及不同閱讀能力的一般居民方面。

爲了配合讀者需要及工作的方便，該館將不同文字的參考工具書按杜威分類法排列；合併成人及兒童的英文知識性讀物（non-fiction），鼓勵成人及兒童按閱讀程度選取讀物；製作圖書館利用教育幻燈捲片（並備有說明小册子及圖書館平面圖），輔助讀者認識圖書館。幻燈捲片說明除英語外，尚製作多種中國方言（國語、台山話、廣州話等）及越南話的錄音帶，並計畫爲兒童製作同樣資料。除了提供上述讀者利用教育服務外，該館同時提供移民們生活上必須的資訊（I&R Services），輔助他們塡寫官方表格及稅單等，且更進一步接觸其他的潛在讀者。學校媒體中心（學校圖書館）也曾設計成人教育班，指導年輕的家長們閱讀優良兒童讀物，以增進他們的英文程度。其他文化性及娛樂性的推廣活動，則包括有中美或亞美音樂會、華裔作家聚會、現代中國戲劇表演、高齡居民電影欣賞會等。兒童服務方面的多樣性活動，包括大學生敎小學生的英語補習班；暑期閱讀活動及下棋活動；兒童藝術中心（Junior Arts Center）及營火隊（campfire group）；另該館也定期舉辦研習會、年長義工（祖父母輩）為學前兒童定期朗讀故事………等。總言之，洛杉磯市立公共圖書館中國城分館對該社區民衆提供最佳服務所做的努力是有目共睹的。

中國城分館認為在成人服務方面已有相當成就，相形之下，兒童服務有待更進一步的努力。該館雖位於學校之內，但兒童讀物外借量僅佔全部的 30 ％，而近來該館的兒童圖書館員經過兼充公共圖書館及學校圖書館員歷七年多後，因無法繼續承擔工作的負荷而離職，兒童讀物外借量竟降低至全體的 20 ％。檢討中國城分館預期同時發揮學校及社區公共圖書館之功能的計畫失敗，原因不外：

(1)分配員工工作時間的衝突。

(2)一般大衆對圖書館服務需求過高。

(3)該學校的圖書館已具備館藏，但缺乏專業館員主持。

該分館每月平均有十七次的班訪活動，如此重的工作量實應由一位曾受專業訓練的學校圖書館員或教師圖書館員(Teacher Librarian)負責,且負起與分館協調的任務,以發揮全面性的圖書館功能。

目前世界各國的圖書館都面臨著阻礙發展的相同瓶頸——人員、經費、空間………。雖然,中國城分館的工作人員常以各種變通辦法來突破瓶頸,達成任務,例如每個圖書館員都必須擔任教育新讀者利用圖書館的任務,由館員定期利用幻燈捲片及錄音帶等視聽資料教導讀者如何利用圖書館,便能節省人力且收事半功倍之效。該館尚計劃試驗其他全面性的活動,如:兒童與家長或兒童與教師的成人兒童合併活動;成人部門館員(adult librarian)及兒童圖書館員(children's librarian)合作,在成人館員教導家長如何利用圖書館時,兒童圖書館員可以和幼兒講故事;而兒童圖書館員提供資深居民或工商界人士圖書館利用教育活動時,成人部門館員可以主持一般及學校兒童的團體活動等。

中國城分館的例子證明,社區全民需要利用圖書館的基本資訊,方能充分滿足其利用圖書館的需要。美國圖書館協會認爲全民都需圖書館的服務,自一九八〇年以來,該協會呼籲圖書館藉著「計劃程序」及「輸出評估」等方法以瞭解個別圖書館利用者的需要,提供適切的服務。事實上,關鍵仍在圖書館員本身,他們必須估計本人工作環境的情況，利用圖書館整體的努力作後盾，配合讀者的需要提供服務。中國城分館從計劃、請願、初創、擴展、檢討、試驗等整個過程都可供國內圖書館界的參考與借鏡。

㈡與教師、學校圖書館員合作

學校是正式的教育機構，學齡兒童(包括幼稚園學生)有權利及義務接受國家所提供的義務教育 。 在學期間 ，兒童接觸最多，且受其影響最深的當然首推教師。兒童圖書館員主動與學校教師取得聯繫、或透過學校圖書館員，獲得教師與學生需要協助的資訊，便能提供受學校教師及學生歡迎的服務。美國伊利諾州Des Plaines 公共圖書館的兒童圖書館員便曾與當地學校教師密切合作，並設計了下列極受歡迎的活動（註八）：

⑴書袋（book bag） 配合教師的要求（主題及閱讀程度），選擇二十五本知識性讀物置放書袋內，借期為一個月，如有必要可以續借。

⑵寶物箱（treasure boxes） 圖書館按年級閱讀程度及需要，選擇四十本小說或故事書放在「寶物箱」紙盒子內，每班每兩月可借二至三盒書，外借期間，這些書便成為該班的「小型圖書館」或「班級文庫」。

⑶藝文活動（cultural arts programs） 圖

書館服務的義工媽媽們，攜帶圖書館員事先準備有關某藝術家的傳記資料或複製藝術品等，到學校各班討論該藝術家的生平及其創作，當然當地的藝術家列入優先考慮。

(4)增廣見聞的盒子（enrichment cases）　盒子內裝置有關某主題的實物，供學生們親手觸摸、體驗；並在盒子內放置一些罕爲人知的相關性趣聞資料，增加該盒的吸引力及神秘性。

(5)歷史女士（history lady）　圖書館的一位工作人員穿著古裝，粧扮成歷史人物，到學校和學生談歷史，增加歷史的生活性與趣味性。

(6)明日作家、挿畫家聚會　鼓勵學生對從事寫作及挿畫的興趣，並展示其作品。

上述(1)(2)(4)活動，可由圖書館或學校用車輸送，以便利教師及學生。凡此種種活動，都是兒童圖書館員利用圖書館的人力、物力資源，再配合學校師生的需要，挖空心思所創設的特別活動。國內各兒童圖書館單位在這方面都相當努力，惟因圖書館資源較匱乏，績效稍遜國外。同時國內學校教師基於客觀環境考慮，可能與圖書館合作的意願並不高。但是國內兒童圖書館所舉辦的有些活動，如「小博士信箱」、「王姐姐信箱」、「兒童圖書館之旅」、布袋戲、偶戲及兒童說故事等，績效也很令人滿意（請參看

第五章內容）。

所謂圖書館與學校合作者，當然雙方必須共享權利分擔義務。當圖書館開放讀者利用小型電腦的初期，對這方面比較有經驗的學校也能提供技術上及人力上的支援。諸如邀請兒童圖書館員參加他們的利用電腦訓練班；數學教師義務輔導圖書館讀者利用電腦檢索的設計；自然科學及其他有學科專長者，也可踴躍地提供各種專門服務；教師協會甚至捐贈電腦及其他相關儀器等。

Des Plaines 公共圖書館為了實際瞭解當地各學校的教師及學生對該圖書館的需求，並慎重地設計了問卷（見附錄壹之㈤），分發給社區內小學及國中教師（註九）。該圖書館在問卷中提供的活動項目雖非十分多樣性，卻重視所舉辦活動的效果，也可以說是堅持「重質」不「重量」的原則（註一〇）。一般而言，圖書館在必須為社區內數所學校服務的情況下，兒童圖書館員可以選擇提供較大量服務（常指活動）予少數學校，或提供少量服務予較多學校，以求達到工作的最高績效。

假如社區中的公共圖書館與學校緊密的合作，兒童圖書館員與學校圖書館員將可相輔相成，共享資源，提供更有效的服務，且減少大家因工作不協調而產生的挫折感。公共圖書館的兒童部門與學校合作的途徑大致有三：溝通、活動及提供特別的服務，今分述於後：

(1)在溝通方面，圖書館爲了使學校的員工及學生瞭解圖書館所提供的服務，大量分發資料或鼓勵雙方人員的接觸，應該是溝通的好管道。諸如圖書館編印「給教師的資料」(teacher packet)，不但能將資訊傳達給教師們，也能使兒童圖書館再度思考並澄清其目標；「通訊」(newsletter)是圖書館出版的刋物，它可以傳播有關圖書館活動及服務的資訊，及報導新資料(圖書、視聽資料及其他)的評論或推薦和有關學校師生的興趣等。另一方面兒童圖書館員參加學校的會議、拜訪校長及教師、參觀學校圖書館、媒體中心或教室等方式，皆能促進雙方的瞭解及構想的交換；教師帶領學生參觀當地的兒童圖書館，也能增加圖書館員與師生的溝通，而學校圖書館員常是建立此類關係的聯絡人。

(2)兒童圖書館員可以透過學校圖書館員安排「班訪」及「後繼訪問」(follow-up visit)，以團體方式服務學校的學生，解說圖書館的資料及服務。並設計「班訪評鑑表」或問卷，以評估該項活動的品質。同樣地，圖書館員也可以訪問學校，到教室中講故事或表演偶戲，並推薦各類優良讀物；爲了提高兒童閱讀興趣，圖書館可以編送書單，並請中年級以上學生投票推選優良讀物獎，舉辦邀請得獎圖書的作者或插畫家到圖書館與讀者見面等活動。

(3)前述「寶物箱」,「書袋」及「增廣見聞的盒子」等皆屬於特別服務。當學生無法利用館內資料完成作業時,兒童圖書館員可發給特別表格,由學生填寫,圖書館員簽名,以向教師或長家交代,更歡迎教師來電話作進一步的溝通。事實上,美國兒童圖書館的利用者中,做作業的學生占的比重不少。

在學校圖書館員及兒童圖書館員雙方完全溝通的情況下,學校與圖書館的合作才會發揮功效。因此兒童圖書館員及學校圖書館員對自己扮演的角色應有明確認識,如前者不可能負全責教導學生如何利用圖書館,但卻能引導孩子們對圖書館及其資源發生興趣。

(三)與社區內其他機構團體合作

(1)當圖書館面臨人員短缺與經費不足的困境時,如欲維持服務上「質」與「量」方面的水準,則亟須仰賴開發社區的資源。一九八一～一九八二年美國洛杉磯市立公共圖書館系統與該社區的兒童藝術中心(Jounior Art Center)攜手合作共渡危機,即曾有良好的效果(註一一)。當地的兒童藝術中心也和圖書館一般面臨困境,因爲參加該中心活動的兒童僅限於居住附近者,或家庭備有交通工具接送者。中心人員如欲推廣服務，必須將服務帶至各處，在此情況下，公共圖書館遍佈全市各處的分館正是他們提供服務的理想場所。二機構合作安排由圖書館提供場所及觀衆，而中心則提供免費的材料及學有專長的指導人員。各分館兒童圖書館員配合兒童室的需要，編排節目時間表，提供必須的輔助人員，並扮演中間者的角色，活動後更負責評鑑工作。中心提供內容豐富的活動，包括染領帶、製作圖書、黏土或木塊雕刻及製作面具等；中心人員更爲各種活動製作幻燈片，保留記錄以便日後申請經費輔助之用；活動後並將兒童的「傑作」與相關的博物館展覽品於中心的本部及各圖書館分館巡廻展出。此種藝術班活動，每週舉辦兩小時，歷時十週，兒童們反應熱烈，參與者除了獲得罕有的藝術經驗外，該活動對各參與者的重要意義爲：

(I)因爲參加活動，而逐漸培養利用圖書館的習慣，不再視它爲生疏、不友善的地方。

(II)擴大其文字及視覺方面的字彙。

(III)因獲得藝術「成就」的新經驗，而肯定自己。

(IV)因爲作品展示的驕傲，而增加自信心。

(V)鑰匙兒獲得除電視外，其他積極且富創意的活動。

(Ⅵ)兒童有機會接觸到博物館的藝術品，進而瞭解與其相關的歷史，對平日無法拜訪博物館的兒童而言，這是非常可貴的經驗。

(Ⅶ)學習了利用圖書館資源從事藝術活動。

(Ⅷ)有關藝術的資料，因活動而得以增加流通。

(Ⅸ)圖書館得以有限的人力、物力，提供了具品質的服務。

提供成功的合作服務，雙方事前必須有共同的計劃；界定活動的目標及各方的責任;避免過度的或不實的宣傳；維持重「質」不重「量」的原則；並著重以活動推廣圖書資料的利用。圖書館更可以利用社區內大學、博物館、娛樂中心等的資源，豐富其活動的內容而不與其他機構的服務重複。此類活動無形中也增強了兒童服務的能見度。國內兒童圖書館早期的推廣活動曾由天主教的社會福利機構——快樂兒童中心提供，該中心的大哥大姐們如今仍經常在台北市各兒童圖書館中主持活動（註一二）；另外大專社團也在這方面有相當的貢獻（註一三）。但願圖書館能善用社會資源，以抒解圖書館人員短缺與經費不足的困境。

(2)啓廸兒童的責任應該由家庭及社會共同負擔。在幼兒們的媽媽外出工作的人數逐漸增多的情況下，社區的學前機構便肩負起更重的擔子，圖書館應該加強對這些機構的服務。美國伊利諾州的Arlington Hights（註一四）紀念圖書館對當地的學前兒童機構團體提供主動、積極的創新服務，頗值得國內圖書館參考，今簡述於後：

(I)圖書館聯絡當地各種學前兒童的機構及團體，並建立檔案。

(II)圖書館提供學前兒童教師、照顧者………一組有關圖書館資源及服務的資料，尤其是學前服務的說明。該館所提供的學前兒童服務有：圖書館之旅；教師可申請團體借書證，外借較大量的圖書及其他資料；提供展示空間及設備，俾幼兒的手工、作品等得以展示；編撰幼兒專題書單（按興趣及需要提供，如：「拜訪醫生」、「嬰兒的來臨」………）；編列一般性幼兒分類書單（註一五）；「寶藏袋」（bag of treasures）服務等。

(III)圖書館「寶藏袋」服務，係由圖書館員主動聯絡學前機構的教師，約定時間攜帶「寶藏袋」往訪。袋內放置經過選擇的二十五本圖書、五張唱片、五卷有聲幻燈軟片、十張圖片、一張專題海報等。兒童圖書館員對機構主持人及教師們說明如何和幼兒利用各種型態的資料；假如教師需要服務，也可以電話連絡圖書館，說明所需資料的性質，兒童圖書館員便將適當的資料放入「寶藏袋」，並附資料清單，再通知教師本人或派人取袋。此種主動、積極的服務，最大的好處除了輔助教師選擇資料，更節省他們的時間。該館爲幼兒設計「參觀圖書館」的活動也很別出心裁，除了有專人介紹兒童室外，並爲他們講故事或放映電影等。在活動結束前，圖書館並贈送每位學前兒童一袋資料，其中包括爲家長介紹圖書館的資料，五顏六色的書籤及鉛筆等作爲參觀圖書館的紀念品或獎勵。

圖書館透過與學前兒童機構、團體主持人或教師們合作，分擔了輔助兒童發展的責任。姑且不論幼兒究竟能從服務中獲得多少書本知識，這服務的確提供給幼兒們一個利用圖書極好的開端經驗。國內的信誼親子館是目前在這方面貢獻最多的私人機構；而公共圖書館的兒童室則仍以服務學齡兒童爲主。如今少數公私立圖書館兒童室已逐漸將所服務兒童的年齡限制放寬，但這方面的發展仍有待加強推動。

⑶「圖書館之友社」的組織是圖書館最熱心的支持者之一，無論在實質或精神上都給予圖書館很大的幫助。它們通常是由社區中熱心公益贊助圖書館發展的知名人士所組成，前述洛杉磯市立公共圖

書館中國城分館的創立，圖書館籌備委員會（即後來的「圖書館之友社」組織）之功不可沒便是一例。洛杉磯市立公共圖書館總館（central library）的「圖書館之友社」組織爲「兒童和文學之友社」（Friends of Children and Literature FOCAL）（註一六），是由七位關心兒童及兒童文學的教師、兒童圖書館員、學校圖書館員及圖書館的經常利用者發起組成的。「兒童和文學之友社」（FOCAL）宣示的目標有五：

(I)聯繫兒童、圖書、作者及插畫家。

(II)介紹洛杉磯地區兒童認識洛杉磯市立公共圖書館總館兒童文學部門的寶藏。

(III)支持並推廣洛杉磯市立公共圖書館總館兒童文學部門的服務與資料。

(IV)協助洛杉磯市立公共圖書館總館兒童文學部門發展兒童文學史研究資料的特藏。

(V)增進社會大衆對洛杉磯市立公共圖書館總館兒童服務的認識。

洛杉磯市立公共圖書館總館兒童文學部門所在地爲該館的 Ivanhoe Room ，它除了提供兒童服務以外，也是教師、兒童文學研究者、電視及電影業者和其他對兒童文學有興趣者獲得該方面資訊的場所。FOCAL所提供的活動包括：

(I)作者、插畫者日　FOCAL 邀請當地作家或插畫家到學校和兒童及教師們相處一日。有意參加該活動的學校先研擬「作者日」前後及當日相關系列活動的計劃與建議，以準備兒童參與此盛會，並得到最大的收穫。兒童們最興奮的是有機會與喜愛的作家見面，甚至交談及請求簽名種種，因此活動效果頗佳。

(II)「兒童和文學之友社」(FOCAL)獎　每年由FOCAL組織評審委員會，選出一本能增加兒童對加州認識及欣賞的最佳創作，圖書的作家或插畫家，除了在典禮中隆重的接受頒獎，其後更有圖書出售、作者簽名等配合的活動，使FOCAL頒獎成為每年度中極受重視，而有意義的活動。

(III)作者與讀者特別聚會　FOCAL 安排受歡迎的作家及插畫家與兒童見面及交談。

(IV)籌款活動　這是「圖書館之友社」組織最重要的功能之一。FOCAL 可以利用舊書義賣，將圖書館報廢資料低價出售；設計圖書館之友圓形徽章出售；義賣盆景、手工藝品、食物種種。如今美國無論大都市或鄉鎮圖書館的「圖書館之友社」，為了聯絡感情或籌款，常舉辦此類活動。我國目前尚未見有這類活動。

㈣重視暑期閱讀活動

教育學者Barbara Heyn在她的著作「暑期學習與教學效果」(*Summer Learning and the Effects of Schooling*. Academic Press, 1978）中曾指出，暑期閱讀活動是獨一無二對暑期學習最具影響力的活動。因為無論從兒童閱讀圖書的量、從事閱讀的時間或經常利用圖書館等方面來衡量，兒童在暑期有系統的閱讀，確能增加他們「字彙測驗」的成績。所以兒童圖書館都希望把握機會計劃各種暑期閱讀活動，讓孩子們度過一個快樂而有收穫的暑假。而家長們也不必躭心孩子們因暑假荒廢學業而帶來的後遺症。

美國伊利諾州的兒童圖書館早在一九七六年便開始策劃全州性的兒童暑期活動，經過數年的努力與改進，在一九八二～八五年間，伊州圖書館協會兒童部(CLS／ILA)已編製系列資料，供該州及其他的兒童圖書館員參考利用（註一七）。從一九八二年開始，每年該州的暑期閱讀活動都有一定的主題，並與商界合作編製了活動手册、海報、記錄表、成就獎狀、書籤及圓形徽章等推廣用的資料，效果相當良好。全州性活動的主要目的為策劃既省錢而又省力的全州性暑期閱讀活動，並設計有水準、專業化的資料，大量分發給各公共圖書館、學校圖書館及各圖書館系統的總部，節省了圖書館每年爲設計個別活動所耗費的人力、物力。對兒童圖書館員而言，更減輕了他們的工作量，且所編之「活動手册」能應用在其他兒童活動上。該項全州性活動的目的包括：

(1)增進州內各兒童圖書館的合作。

(2)使各圖書館系統利用所編製的資料作爲圖書館員在職訓練、繼續教育的資料。

(3)提高州內兒童圖書館（大、中、小、鄉村、城市）兒童暑期閱讀活動的水準。

(4)使更多的家長、教師及其他成人對圖書館及兒童圖書館有興趣。

(5)提供該州兒童滿意的暑期活動，使他們成爲圖書館的常客。

伊州圖書館協會兒童部門（CLS／ILA）爲了了解其他州對此種活動的意見，曾發出意見調查表給其他四十九州的州立圖書館，回收資料卅一份，其中有二十州已開始舉辦全州性閱讀活動（註一八）。美國各州策劃全州性圖書館活動的歷史不長，但伊州舉辦的全州性暑期閱讀活動已是一個成功的例子，可供其他圖書館參考。

暑期閱讀活動是美國愛荷華州各處兒童圖書館個別舉辦的傳統性活動。通常兒童圖書館員們在暑假前數月便着手計劃，其成果常是受人歡迎而具創造性的。愛荷華州居民以務農爲主，該州農村地帶單人經營的小型圖書館，所服務的人口常在1,000人以下，卽使在資源和時間極度匱乏的情況下，熱心的圖書館工作者仍努力籌劃暑期閱讀活動，以提供農村兒童參與圖書館活動的機會。自一九八二年開始，愛荷華州立圖書館已設置專門人員，協調州內兒童圖書館的服務，並特別重視編撰暑期活動手册的工作。Robin Currie——前任愛荷華州玉米地帶(Corn Belt)圖書館系統兒童服務協調主任，曾提供她的寶貴經驗於後（註一九）：

⑴僱用具有專業知識與技術的人員設計海報、書籤等資料。

⑵利用圖書館員會議或其他聚集的機會，將活動內容以活潑生動的方式廣爲介紹。

⑶活動主題應以民主方式決定，且應適合州內各地區兒童的興趣與需要。

⑷將多種構想或建議編入手册內，作爲今後舉辦活動的參考。

⑸選擇有力、顯眼、容易引起共鳴的海報構圖。

⑹暑期活動可以由兒童圖書館員個別設計舉辦，但因爲經過與其他館員的合作與協調，其績效會更好。

目前國內各兒童圖書館也都把握暑期的機會，舉辦各種戶內及戶外的暑期活動（請參考第五章內容），但仍多偏重於圖書館利用教育及文康性的活動，至於編撰活動手册，則以臺北市立圖書館編印的「圖書館之旅手册」比較理想，其他如海報、書籤、記錄表，成就證書等推廣資料的製作，則未受到重現。因此，上述美國伊州及愛州的經驗，頗值得國內兒童圖書館參考。

叄　兒童圖書館的活動

在社會快速變遷、新科技的衝擊下，兒童圖書館的服務除了朝向多樣性的發展外，兒童圖書館的活動也以更精緻的面貌呈現給大家，以配合資訊時代兒童的興趣與需要。兒童圖書館除了繼續提供一般受兒童們喜愛的傳統活動，如說故事、幼兒活動及好書推薦……等外，更增加了兒童和成人可參與的活動，及利用新科技提供的多媒體與電腦等活動。今分別就「傳統活動的新面貌」、「參與性的活動」與「多媒體及新科技活動」三方面介紹於後：

㈠傳統活動的新面貌

⑴說故事活動

說故事是一般兒童圖書館的主要服務之一，也是兒童圖書館的一大特色（註二〇）。 兒童圖書館舉辦說故事活動由來已久。以美國的兒童圖書館言，早在一八九〇年代後期兒童圖書館員便開始提供此類活動，惟當時說故事的對象僅及於學齡兒童；一九三〇至四〇年代說故事活動的對象，隨着圖書館兒童服務對象年齡限制降低而擴大層面。因此，一九五〇年代發展了以低年級學童及幼兒（三歲至五歲）爲對象的「圖畫書故事及學前故事時間」（picture book and pre-school hours）。一九六〇年代的圖書館配合兒童對視聽資料的喜好，更發展了「故事和電影活動」（story and film programs）。說故事活動一方面是傳遞文學給兒童的重要途徑，而另一方面則是誘導讀者加強閱讀的觸媒，更是兒童活動的重要部分（註二一)。這種歷史悠久的傳統性兒童活動，對今日的兒童是否仍具魅力呢?有些兒童圖書館員們認爲答案應該是肯定的，說故事活動在今日兒童圖書館中的價值爲：

(I)吸引潛在讀者進入圖書館利用其資源。

(II)鼓勵兒童閱讀及外借資料。

(III)提供社區需要的兒童活動。

(IV)保存各國的民間文學及民俗。

(V)圖書館推廣活動的工具。

(VI)提供說故事者（兒童圖書館員）與讀者間更多個別溝通及互動的機會。

(Ⅶ)兒童圖書館員必須主動的與聽衆共享圖書館的館藏，因而提高他對館藏進一步的瞭解。

(Ⅷ)有助於圖書館達成其爲社區大衆教育、文化、娛樂及資源中心的目的。

但說故事仍是一項對兒童圖書館員頗具挑戰性的工作，在策劃活動時必須考慮下列問題：

(Ⅰ)那些兒童尙未被吸引爲聽衆？

(Ⅱ)那些說故事的方法尙未被採用過？

(Ⅲ)如何能最有效地發揮「說故事」這項圖書館活動的功能？

美國舊金山市立公共圖書館的「撥電話聽故事」(Dial-a-Story)便是一個成功的實例。家長及學前兒童打電話到圖書館，便可在電話裡聽到經過圖書館員選擇的故事、兒歌、童詩及童謠等的錄音。其他的圖書館也紛紛效法，利用各種新科技方法及媒體說故事(註二二)。美國愛荷華市立公共圖書館每月爲社區播出廿個單元的「說故事」節目；也有兒童圖書館員與電視台合作提供系列性(每週在固定時間)故事時間，其中並包括「睡前」故事時間。這些節目經電視台錄影後，在家裡的兒童也有機會享受；兒童圖書館每月還爲聽覺障礙兒童提供手語說故事節目(註二三)。兒童圖書館員利用說故事的方式推廣爲身體殘障者、語文有適應問題者、幼兒及成人等的服務已是頗普遍的現象。

美國伊州 Urbana 公共圖書館的兒童部門曾舉辦了一個相當成功的說故事活動——「週五電影」（Friday Filmfare），在每星期五上午爲托兒所（Day Care Center)的小朋友說故事，並配合利用電影、唱片、示範（科學實驗及手工藝等）、團體遊戲、音樂及體能活動等。因爲出席人數多在五十至百人以上，所以必須在圖書館的大禮堂舉辦，托兒所對此活動的反應非常熱烈，在兩三週前便向圖書館登記(註二四)。作者在布魯克林公共圖書館服務期間，也曾舉辦類似的活動，惟當時僅利用電影及團體遊戲而已。舉辦大型幼兒活動，無論在事前計劃或節目進行期間，應多注意下列事項：

(I)幼兒的注意力比較不易把握，尤其爲數衆多幼兒的注意力。

(II)所採用資料必須新穎，而且適合各發展階段的幼兒。

(III)盡量與個別兒童建立關係，使他感覺到受注意，而非群衆中的一張面孔而已。

(IV)事前準備、節目的執行及事後評鑑都是活動過程中任重而道遠的工作。

(V)將活動內容及聽衆反應作成記錄，俾供其他館員分享經驗，且可避免活動內容的重複。

有的兒童圖書館員會限制聽衆的年齡及人數，以獲得較理想的效果。但有經驗的兒童圖書館員也研究出一些補救的辦法：

(I)在圖畫故事時間可以利用絨布板或大道具補充及代替故事書中的挿畫。

(II)活動前的暖身運動，包括認識兒童的名字、鼓勵兒童間的互動及盡量維持視線的接觸等，均有助於主持節目者建立與兒童間的交流關係。

(III)若說故事者與聽衆距離遠，則可運用較多動作或重複的暗示，以拉近說故事者與聽衆的距離。

(IV)請在座的家長及教師等成人領頭參與，因兒童常以成人的言行作爲依準。

故事內容並不限於民間故事、童話、神話等範圍，事實性的、知識性的、娛樂性的資料也是「說故事」的材料。Urbana 圖書館便將「說故事」方式運用於各種活動中，例如在手工藝活動前可以透過說故事的方式開始進行;「圖書館之旅」也包括說故事；圖書館也可利用說故事方式爲圖書館以外的讀者服務；兒童圖書館員拜訪當地學校，順便向各年級學生介紹優良讀物、講故事………時，可以獲得下列回響：

(I)增加圖書館資料的流通量。

(II)兒童有機會認識圖書館員後，在日後從事閱讀或做功課時，較願意上圖書館。

(Ⅲ)瞭解說故事的眞正意義，而且知道那並不僅是爲低年級兒童設計的活動。

說故事活動的評鑑工作是相當重要的。每位圖書館員可以正式或非正式方式來評鑑自己的活動。今將數種簡易評鑑方法簡述於後：

(Ⅰ)在說故事時，根據聽衆的反應（如臉部表情、笑聲、參與情形等）來評鑑。

(Ⅱ)由活動後與家長或兒童交談獲得的反應來評鑑。

(Ⅲ)活動結束後，以電話方式訪問兒童或家長，使他們有機會吸收活動內容，表達較客觀的意見。

(Ⅳ)以問卷方式調查（請參考附錄壹之二）。

(Ⅴ)其他說故事者的專業意見。

(Ⅵ)上述各方法的綜合評鑑。

圖書館藉評鑑瞭解該活動的價値以及活動對聽衆和圖書館的影響等，它是今日幫助專業成長，提昇兒童圖書館服務的重要方法。

說故事是富挑戰性的工作，最常見的是兒童圖書館員因爲聽衆反應不熱烈而感到失望；兒童圖書館員因講故事導致身心勞瘁，失去對工作的信心等。兒童圖書館員如嚐試運用新媒體或新方法開拓聽衆的層面，則其於時間及圖書館資源方面承受的壓力尤鉅，而失敗的機率也隨之相對增加。在今日電子媒體、大衆傳播、資訊爆炸的時代裡，圖書館事業蓬勃的發展有賴它採納或適應新的溝通技術，擴展服務層面至有形的圖書館外，並重新界定它的社會角色等時，這些也同樣決定傳統「講故事」活動是否能存在於「新圖書館」的關鍵。

Urbana 公共圖書館的兒童部副主任認為：在資訊時代的兒童圖書館希望把講故事的活動做得更有效果，必須採取下列措施：

(I)說故事者必須利用新的溝通媒體，如Cablecasting、電視、收音機、撥電話聽故事及錄影等，以適應並接觸到更「新」更「多」的聽衆。

(II)重新界定「說故事」及「故事時間」兩活動，消除一切不必要的限制（如人數、年齡及興趣等）。

(III)說故事的活動必須經過審慎評鑑，而且須有具體記錄及書面根據，以獲得圖書館行政人員及服務大衆的支持。

圖書館的各項服務都是相對的、實驗性的，且無法排除失敗的可能，說故事也不能例外。從事圖書館工作人員的態度應是要面對這些種種可能發生的問題，去盡量設法謀求對策及改善，才能繼續發展圖書館有價值的服務（註二五）。

國內的兒童圖書館由於人員匱乏，祇有極少數圖書館由曾受訓練的專業圖書館員主持說故事的活動。但各圖書館都認識說故事的重要性，常請義工或圖書館外團體機構的人員主其事（註二六）。

⑵　親子活動

以幼兒（一至三歲）和家長為對象說故事，是美國兒童圖書館幼兒故事時間的新面貌。幼兒的家長都希望孩子們早日加入愛書人及利用圖書館者的行列，但他們也頗躭心幼兒在圖書館裡的行為及引發的其他問題。兒童圖書館員應現實地面對幼兒在圖書館裡可能發生的各種麻煩，並熱誠地運用這種親子活動來幫助幼兒享受利用圖書館的經驗。活動的時間以不逾廿分鐘為宜，內容可包括手指遊戲、故事、歌謠、偶戲、電影及幻燈片等。家長可陪伴幼兒共享活動的樂趣，以使初次參加圖書館活動的幼兒有些需要的安全感。同時，圖書館員也應瞭解，並非每個幼兒一定樂於參與此種活動。惟舉辦此種活動大致有下列主要優點（註二七）：

(Ⅰ)為幼兒參加學前活動做準備。

(Ⅱ)讓幼兒習慣和其他同年齡的兒童共處。

(Ⅲ)培養幼兒利用圖書館及參加圖書館活動的積極意願。

(Ⅳ)促進幼兒家長對圖書館資源與服務的熟悉，尤其是有關幼兒的部份。

(Ⅴ)使兒童圖書館員及其他的工作人員進一步認識社

區的家長和孩子們。

(Ⅵ)鼓勵家長藉與幼兒共享讀物及參與活動的機會，增進親子關係。

兒童圖書館服務專家 Jane Campagna 及 Mary Madsen 提供她們在這方面的實務經驗，認為計劃幼兒及家長活動前，兒童圖書館員必須先作充分準備工作，如評估社區對此種活動的需要；舉辦活動的目的和目標等，在計劃過程中更應注意下列事項（註二八）：

(Ⅰ)因幼兒注意力集中時間不長，活動時間宜以廿五分鐘為限。

(Ⅱ)確定為單一或系列活動。

(Ⅲ)年齡階段為三歲以下或 24 至 36 個月。

(Ⅳ)確定日期及時間，如週日、星期六，上午或下午等。

(Ⅴ)是否利用玩偶或其他工具。

(Ⅵ)活動前辦理登記及發名牌手續。

(Ⅶ)宣傳事項。

(Ⅷ)準備分送給家長的資料。

簡單的手指遊戲、兒歌及動作的遊戲等皆有助於活動的順利進行；絨布板、玩偶、實物、圖片等也頗能吸引幼兒的興趣。此類活動對圖書館及家長也有許多正面的貢獻；而當幼兒曾經享受故事活動的快樂經驗後，對於公共圖書館的印象必然也是有趣、快樂的；更因此奠定日後發展爲成人圖書館利用者的基礎。

資深兒童圖書館員 Jo K. Potter 也曾提供有價值的實務經驗(註二九)：幼兒故事活動中，成人(通常是媽媽或爸爸、祖父母、鄰居及照顧的人)扮演極重要的角色，他們可以觀察幼兒和故事書及其他小朋友間的互動關係；瞭解活動內容；接觸各種兒童讀物；學習各種兒童歌謠和遊戲。舉辦活動時，幼兒及成人皆可席地而坐，祇要妥善安排活動內容，一般幼兒也能靜坐一段短時間。在活動開始時，通常先請幼兒和成人同坐，圖書館員可以和小朋友打招呼或握手，然後請小朋友站在成人前玩手指遊戲(暖身活動)，同時利用一兩分鐘，對成人簡短地介紹各種資料。再請小朋友到圖書館員(有助手一名)前坐下，聽故事、玩遊戲、唱歌或唸詩……。最後，由每個孩子以自己的借書證外借一本圖書。活動結束後，圖書館員並將活動概況：主題、內容、資料、聽衆反應及其他評語和觀察作成記錄存檔，俾備日後參考之用。由於幼兒參加圖書館的活動，他將會帶來了家庭的各分子，圖書館服務的層面也會因而隨之擴大。

國內一般兒童圖書館服務對象以學齡兒童爲主，有的兒童室因爲空間過小或人員不夠等原因，甚至還限制家長進入兒童室，這是不太合理的現象。近年來部份兒童室雖已開放家長利用，並將兒童室服務對象的年齡擴大至四歲，惟舉辦學前活動或親子活動的兒童圖書館卻寥寥無幾。現在台北市國民小學已設置幼稚園、而私立的幼稚園及托兒所更是到處林立，兒童圖書館加強與上述幼兒機構的聯繫以已成必然的趨勢。目前經常舉辦各種親子活動及幼兒活動的機構首推信誼親子館；待該館親子圖書室遷徙後，想必更能拓展這方面的服務。

(3)書談活動或推薦讀物（book talk）

「推薦讀物」活動也是兒童圖書館服務中已有長久歷史及重要性的活動(註三〇）。近年來美國兒童圖書館提供這種服務的方式，由於因應兒童的興趣及需要也有了改變。圖書館員常拜訪學校，在教室為學生們作「推薦讀物」或「書談」的活動；希望將更多未曾利用兒童圖書館的學齡兒童帶進圖書館。圖書館員提供「書談」活動的優點是多方面的：

(I)圖書館員自身或在場的教師藉由此類活動得以深入認識「新」的而且受兒童歡迎的讀物。

(II)鼓勵圖書館員閱讀、發現更多兒童讀物甚至嚐試提供「推薦讀物」或「書談」活動。

(III)兒童因參與活動，對作家、讀物的主題、構想有更進一步的瞭解。

(IV)兒童圖書館員及教師經由此類活動，瞭解兒童是「友善的」、「有智慧的」及「可親的」，更能爲他們設計其他更好的服務。

兒童圖書館員平時可利用資料卡收集資料，記錄書名、作者、主角性別與年齡、簡短介紹及精彩描述部份的頁數等項目。而且兒童圖書館員經常提供讀者顧問服務，對一般故事性的讀物應該比較熟悉，每當檢視一本新進館讀物，便自然考慮該書作爲「書談」資料的可能性。圖書館員個人的愛好及本身經驗都會影響其所作的決定，因爲他不能侃侃而談一本不喜愛或認爲兒童不會歡迎的讀物。圖書館員傾向選擇受兒童歡迎主題的讀物，如懸疑故事、羅曼史、科幻故事、幽默故事、運動及社會問題小說等，以及知識性讀物中的傳記、太空科技、戰爭及電腦等書籍。其實，寫作技術優良而又具特色的讀物也應包括在內；圖書館員並應注意選擇些不同閱讀層、角色性別及背景不同和各文學類型的讀物在其「書談」範圍與編撰的書單內。

圖書館員因工作經驗的多寡，從事「推薦讀物」或「書談」的準備工作也不同，一般圖書館員先將「書談」內容（包括三至五本書不等，視對每書介紹的長度而定）寫下，並加以多次的練習，開始時當然是勞神費心且令人有挫折感的。累積經驗後，便逐漸易於進行。事前將內容寫下，日後再用同樣的書時便簡單多了。「書談」的高潮並非必然發生在該書的主要事件或故事的重點處，也可以發生在「書談」的開始。「書談」猶如「說故事」，它的目的同樣在於吸引聽衆，激起回響，故不必將一書的內容過度暴露，致減低該書的吸引力。

「書談」的方式是依談書者、書及聽衆的不同而異。一般圖書館員常選一段有關該書重要人物或事件的精彩描述朗讀，如此可以突出介紹作品的風格，並能借助作者的文字充實「書談」的內容。結束時，書談者（圖書館員）通常對聽衆應有結論性的交代。總言之，書談者在圖書館或教室面對聽衆時，要具備積極的形象，他不但在「推銷」讀物，同時也是在「推銷」圖書館。圖書館準備的各種推薦書單或其他推廣資料也可以在「書談」後分發給聽衆。據圖書館統計資料顯示，曾經「談」及之讀物的外借次數多會雙倍於在推薦書單上的其他讀物，足證「書談」是將圖書館服務介紹推廣給大衆的一個好方法（註三一）。

國內兒童圖書館推薦讀物的方式多採靜態的、非正式的方法，這可能因爲兒童圖書館員分身乏術，或沒有受過這方面的訓練，及對兒童讀物不熟悉等原因所致。事實上，「說故事」和「書談」都是兒童圖書館員責無旁貸的專業工作。最近欣見台北市立圖書館舉辦「婦女讀書會」及「每月一書」的活動（註三二），圖書館不但能透過這類活動培養市民選擇與欣賞各類圖書的能力，開拓市民知識領域及提高生活品質，進而建立書香社會，更可間接地推動兒童圖書館事業的發展。因爲有了愛讀書的爸爸和媽媽，及充滿「書香」的家庭，孩子們自然體會到閱讀的樂趣，進而培養利用圖書館的習慣。日本公共圖書館兒童部門的數量，在二十五年間（一九六一～一九八五）增加了五倍之多，其得力於歷年來各種推廣閱讀運動的影響也是有目共睹的（註三三）。

(二)參與性的活動

(1) 兒童戲劇餐會（Children's Dinner Theater)

最近國內文藝界經常舉辦各種餐會，如聯合文學午餐會、兒童文學午餐會等，其目的不外使愛好文學者經由聚會共同欣賞文學及美食，這也是一種以文學及美食會友的方式。美國加州洛杉磯市立公共圖書館也舉辦過兒童戲劇餐會（Children's Dinner Theater）的活動（註三四），並獲得參與者及圖書館界的良好回響。早在一九七五年，洛杉磯市立公共圖書館總館兒童文學部門爲了宣傳該部門晚間延長開放時間，首度舉辦此創新的兒童活動。首演夜便有四百名以上的兒童及家長等歡聚一堂，觀看表演。該次活動却因此廣受歡迎而推廣改善爲一種經常性活動。活動的氣氛是可以運用各種方法培養的，例如以野餐籃子盛着香噴噴的可口食物；對來自不同文化背景及不同年齡的家庭份子、社區民衆，也增加些盛會的情趣，使參與者對圖書館留下一個積極美好的印象。戲劇的題材不外乎兒童文學名著改編的輕鬆短劇、魔術表演或偶戲等；與表演題材有關資料也加以展示及外借。目前美國許多公共圖書館、公園及博物館也紛紛仿效舉辦此類活動，有的更另邀請專業說故事者參與爲大衆講故事。

由於此類活動規模較大，耗資較多，通常需要各方面（如圖書館協會、圖書館之友社等）的參與及財務支援或出售門票。策劃者必須瞭解兒童的需要；重視兒童的參與；並選擇兒童喜歡的節目內容。此種表演沒有台上、台下之分，表演者與觀衆距離近，並且提供觀衆各種參與的機會例如玩偶戲中的玩偶可以和觀衆交談；兒童可拍掌、唱歌、數數或對壞人表示不滿而發出噓噓聲等等。兒童戲劇餐會也是培養新一代戲劇觀賞者的好機會，可利用此活動鼓勵家長們帶兒童觀劇，並共享觀劇的快樂。此類活動雖稍嫌「勞民傷財」，但相對地，其收穫也很可觀：

(I)兒童圖書館服務的能見度及良好公共關係大形增加。

(II)獲得大衆傳播媒體的報導。

(III)帶動有關資料的大量流通。

(IV)圖書館員可以有機會推介或討論與表演相關的主題或資料。

(V)不僅兒童部門，連帶地整個圖書館也因此活動而活躍起來。

此外，參加人數及外借資料的統計數字、讀者反應、感謝函種種都是年度報告的好資料。見到家長們攜同子女觀賞現場表演的藝文活動時喜悅興奮之情，兒童圖書館員及所有工作人員的辛勞也是很值得的了！

國內的兒童圖書館，如台北市立圖書館民生分館、國語日報文化中心兒童圖書館、信誼親子館及快樂兒童中心等單位也曾辦過非常成功的大型活動，但多是由圖書館工作人員充當表演人員，我們更盼望擴大參與的層面，進一步提昇此類活動的品質。

(2)　玩偶戲

玩偶戲是兒童們相當歡迎的兒童活動，他們尤其喜歡主動的與玩偶們溝通，即使一個害羞或內向的兒童，也很難抗拒玩偶的吸引力。美國的兒童圖書館在七十年代已普遍的舉辦玩偶戲活動，但近年來更增加玩偶戲活動的參與層面。圖書館不但在館內外表演玩偶戲，並於平時或假期舉辦玩偶戲研習營（Puppet Workshop），訓練學前幼兒，學齡兒童及成人們瞭解偶戲的製作過程，製作玩偶、佈景、道具及參加表演，如此不但爲兒童圖書館做好公共關係，推廣兒童文學，更讓兒童從參與中學習、成長，帶給他們快樂與笑聲。

美國伊州Allerton 市立公共圖書館在過去數年裡曾舉辦許多次玩偶戲研習營，圖書館的玩偶戲團也曾提供過上百次的表演，台上台下的參與者衆多，其中包括圖書館暑期閱讀活動參加者、幼稚園至六年級兒童，及來自育幼院、高中、教堂、社區團體及老人院等機構的男女老幼們（註三五）。當該圖書館的工作人員在一九七八年參加專業性的玩偶戲研習會（Hans Schmidt's Creative Puppetry Program）後，他們參考了文獻及各種媒體，在暑假期間試辦三個以幼稚園至六年級學童爲對象的玩偶戲研習營，希望鼓勵孩子們發表藝術表達能力，同時也增進社會化與學習的技巧（註三六）。幼稚園及一年級學生負責製作簡單玩偶戲的紙偶、佈景及道具；其他的兒童分兩組負責演出。其後圖書館又舉辦了系列暑期玩偶戲研習營，在研習營結業時，由孩子們成功地演出玩偶戲。

今日的兒童大多是在看電視中成長的，從電視螢幕中接觸了不少玩偶戲，兒童圖書館員確實可以運用玩偶作爲兒童服務中重要的媒介。兒童圖書館不僅是兒童借還書的地方，也應該是他們生活中一個重要場所，與他們生活中許多有趣事物的發生有關聯。圖書館可以運用玩偶和這些興趣相牽連，給予孩子們一個讓他或她更喜歡到圖書館逗留、享受或學習的理由（註三七）。

美國南卡羅林納州Charleston市立公共圖書館兒童室中最受幼兒們歡迎的，是在兒童室一角的遊戲區，他們喜歡在那裡和各種玩偶交談及玩耍。年紀稍大的兒童也喜歡玩偶，兒童室內有特定地方掛著孩子們參加製作玩偶研習營的精心傑作。圖書館每年暑假舉辦製玩偶研習營，八歲以上可以登記參加，孩子們經過指導後，可以自製玩偶，自編戲碼並自己演出，學前兒童及工作人員是他們現成的忠實觀衆。圖書館工作人員給予他們唯一的協助僅是提供玩偶戲臺（註三八）。

國內兒童圖書館也偶而提供玩偶戲，但並非此類革新的參與性玩偶戲。快樂兒童中心的大哥大姐們及信誼親子館都曾演出很好的玩偶戲。總希望這種活動能更普遍的爲兒童圖書館應用，而兒童們不再僅是觀衆，更能從幕前進入幕後，有機會參與製作玩偶乃至於演出的整個過程，他們可以從參與中學習、成長，獲取無窮的寶貴經驗。

⑶　幼兒家長研習會

家長、兒童、讀物及公共圖書館間的良好關係，可以爲家庭帶來無限的快樂。兒童圖書館員應本着職責提供家長各方面的協助，鼓勵兒童喜愛閱讀及培養終身利用圖書館的好習慣。如此公共圖書館便儼然成爲每個家庭的重要資源中心。

美國愛荷華州Ames 市立公共圖書館特別為幼兒家長舉辦家長、孩子及讀物研習會（Parents Kids and Book Workshops）（註三九），鼓勵家長們養成和孩子朗讀（read aloud）的習慣，並供應他們有關幼兒讀物及活動方面的資訊，圖書館編印內容豐富研習會手冊贈送參加者，大衆對該研習會的反應都非常良好。下面特將舉辦此類研習會的各步驟列出，俾供大家參考：

(I)研究調查　策劃者事先收集有關此類活動的文獻資料，並訪問地方上有關人士，如圖書館員、推廣活動專家、教師及家長等;其他類似的活動。輔導家長的有關資料及兒童文學等方面也值得探討，加拿大學者Dorothy Butler所著「嬰兒需要讀物」（*Babies Need Books*）及（Jim Trelease 所著「朗讀手册」（*Read-Aloud Handbook*）（見參考書目）都是重要參考文獻。

(II)編印研習會手册　提供家長們一本實用而內容豐富的手册，其內容包括研習會時及日後如何與子女相處的有關資料。為了幫助家長們重溫兒時所唱的兒歌、童謠，手册中特列舉手指遊戲、兒歌、童謠、絨布板故事及選擇性書目（包括印刷資料及各種媒體）。

(III)各種資料收集完善，便可利用各種管道為這活動作宣傳。活動地點可以在圖書館或其他幼兒中心、托兒所及其他幼兒家長經常聚集的場所。活動時間宜配合一般家長而定在週日上、下午及週末或晚上；活動時間的長度約一至二小時，活動內容也依參加者的需要而有所不同。在研習會後並陳列大量相關性資料供家長參閱。

Ames 市立圖書館的幼兒家長研習會對象實際涵蓋甚廣，包括家長、教會團體、婦女俱樂部、女青年會及大學團體等。該圖書館的經驗認爲：活動時如能提供托兒的服務，對參加者而言，則更爲理想。從一般參加者的評語及意見可知、幼兒家長都有增進自身對幼兒讀物認識、參與活動的強烈意願，且認爲研習會小册是非常有用的資料。

國內少數兒童圖書館已成立或計劃成立親子諮詢中心，惟目前這方面的工作及發展重點仍由信誼親子館在進行，公共圖書館似應加強向這方面拓展業務。

(4)　不分齡的活動

資訊時代的今日，假如我們在公共圖書館的大門發現：「兒童與寵物止步」之類的標示牌，那將是令人汗顏的事；另一個常見的是滿懷愛心好意的「大人」在踏進兒童室時，警告小讀者們說「噓！必須肅靜！」。公共圖書館既爲服務社區大衆的機構，便應考慮設計不分齡的活動。今日兒童與祖父母接觸機會不多，而年長者也有他們自己生活的小圈子，因此祖孫輩少有接觸機會，二者無法享受彼此相互作伴的樂趣。圖書館的不分齡活動可能是使隔代關係取得良好聯繫的方法之一。即使在英文資料中有關此類型活動的報導甚少，美國加州南灣合作圖書館系統（South Bay Cooperative Library System）編印的「不分齡活動手册」（Intergeneration Programming in Libraries）（註四〇）是很有價值的參考資料。圖書館員可以配合客觀條件設計系列性的或個別的活動，多少也能激發消除年齡層間的隔閡，增進老人與兒童間的相互關切。

美國愛荷華州Stewart 圖書館曾設計了三個成功的不分齡活動（註四一），今介紹於後供衆參考。

(I)「以眼睛散步」的活動 (Walk with Your Eyes)

Stewart 圖書館擴大慶祝該圖書館大樓重建完工（一九八〇年十月），圖書館全面開放供大衆參觀，並展示以不同藝術風格及表達媒體創作的優良兒童讀物。當地的藝術家及大學藝術系學生受邀在場示範如何利用不同媒體，並鼓勵參加者嚐試。參加活動者的年齡層包括從牙牙學語的幼兒至老祖父母，老人家們似乎比兒童們更受活動的吸引。

(Ⅱ)「龍的夏天」同樂會（Dragon Summer's Fair Festival 1983）。在圖書館外草坪舉辦的活動包括畫臉、未卜先知、演唱、偶戲、說故事、跳舞、比武……等老幼咸宜的熱鬧節目，吸引了三百名以上各年齡的觀衆。

(Ⅲ)（Stewart Library Is Cool for Kids，SLICK 1983）活動，該活動原計劃僅邀請二至五年級學齡兒童參加，後來更邀請了幼稚園、一年級小朋友及社區大衆參加。社區中紡織同業組織的數位資深人員被邀請指導兒童如何紡織；兒童們對老式紡織方法非常感興趣，而老人們也在一旁津津樂道並示範。因爲此次活動的成功，其他圖書館也舉辦類似的活動。

Stewart 圖書館已領先利用社會資源策劃各種不分齡的活動，更帶動其他圖書館朝此方向發展。該館規模不大，員工很少，他們常借重義工的協助。本人十數年前在布魯克林公共圖書館服務時，也曾參與類似的活動——「家庭之夜」（註四二），目前在國內似乎尙未聽聞，也值得研究參考。

(三)多媒體及新科技的活動

(1) 多媒體的活動

從十八世紀中葉英國出版商John Newbery開始出版兒童讀物，直到二十世紀中葉的兩百年間，兒童幾乎完全是透過印刷品欣賞兒童文學的。今日，兒童可以利用非印刷的其他媒體形式欣賞兒童文學，譬如以視聽資料呈現的兒童文學便無論在效果和方式上均與書本印刷品不同。學者研究結果顯示，個別兒童學習的方式不同，即使對於同一資料也因爲不同的呈現方式而有不同的反應；兒童對閱讀書本沒有興趣或無法掌握閱讀技巧時，倒常會對以視聽媒體呈現該「書」的方式感到興趣；兒童文學作品製作成電影或電視節目後，兒童便到圖書館借閱該書。但究竟印刷品轉換爲視聽媒體後，是否能自動的發揮引導兒童閱讀之功能一說，尙無定論。

視聽資料猶如書本，它本身具有存在的價値。對現代兒童而言，利用視聽媒體接觸文學作品可能是他們唯一的途徑。高品質的視聽媒體的確能擴大兒童從讀物中所獲取的經驗，另外更提供視及聽的經驗，但沒有任何一種媒體可以取代兒童一書在手的閱讀樂趣。當兒童圖書館員決定選擇利用何種媒體——閱讀書本、播放電影、唱片、錄音帶——或利用多種媒體時，便要考慮當時的情況——參加人數、環境、工作人員、資料及器材等；兒童圖書館員實在有很多方法和兒童溝通及分享從書中獲得的感受（註四三）。

介紹兒童文學最佳方法之一便是說故事，但當沒有說故事的合適人選在場時，兒童也能從聆聽錄音中欣賞語言文字。對視覺有障礙或有特殊需要的兒童，錄音帶或唱片便具有特定的效果。

所謂多媒體活動，便是利用兩種以上媒體組成的整體藝術——說故事、電影、音樂、舞蹈等所創造的綜合性活動。這種活動提供兒童感官上最高的享受，但兒童圖書館員設計活動所花費的功夫絕不下於設計一傳統的說故事活動。製作多媒體活動的關鍵在於謹慎選擇資料，通常環繞一主題、事或物選擇資料較易發揮效果。

在設計多媒體活動前，兒童圖書館員首先應考慮在一定時間內，要表達些什麼？要塑造何種氣氛？當然，資料的選擇及安排也會影響效果。多媒體活動猶如音樂作品，要有風格（form），活動的各部分必須相關也相聯，活動的節奏及內容的均衡也是重要因素；假如活動的前半部需要觀衆專心細看及聆聽，則後半部宜以輕鬆的步調來抒解觀（聽）衆的情緒……。

從事多媒體活動有年的兒童圖書館員曾提供下面的實例給大家借鏡（註四四）：

(1)紀念安徒生的活動：四月二日爲現代童話之父安徒生的生日。圖書館在三月下旬至四月初可以舉辦「安徒生生日活動」，如在兒童室陳設有關丹麥的海報，展示安徒生童話故事書，展示安徒生及其故鄉的各種圖片，討論安徒生的童年，講述安徒生童話的系列，放映有關安徒生的電影；最後告訴兒童們四月二日已被世界各國定爲國際兒童圖書日。

(Ⅱ)某特定作家及其作品的討論活動：圖書館每週討論一位作家的作品，展示該作家的作品；鼓勵兒童向出版商索取該作家的宣傳資料；放映訪問作家的幻燈片或錄影帶；討論該作家的作品，再放映一部根據其作品製作的電影；兒童也可欣賞聆聽作家唸自己作品的錄音帶等。

(Ⅲ)慶祝仲夏的活動：以「仲夏夜之夢」的音樂作整個活動的主題音樂；討論有關仲夏的迷信及風俗；講一個有關仲夏的故事；並利用有關夏天食物的食譜製作點心之類，供參與活動者分享等等……。

(Ⅳ)放映基於無文字圖畫書製作的幻燈片，鼓勵兒童嚐試寫故事來配合畫面。

(Ⅴ)朗讀一則由歌改寫的故事，然後播放該歌曲，並請兒童隨著音樂唱歌。

(Ⅵ)講一則民間故事，再放映基於該故事製作的電影，然後鼓勵兒童討論兩種藝術形式不同之處。

(Ⅶ)結合身體動作、音樂及詩的活動。

(VIII)設計某特定國家、民族爲主題的活動：可利用該民族或國家的故事、音樂、舞蹈及食物提供一完整性的活動。

(IX)以春天爲主題的活動：朗讀有關春天的書，將插畫投影在牆上或銀幕上；放映有關春天植物、花卉盛開的電影，並配以柴可夫斯基的「花的華爾滋」曲（Waltz of the Flowers）；孩子們完全被視聽的感受所吸引，站起來摸銀幕，並自然地隨著音樂起舞。

(X)介紹民間傳奇故事：播放有關該傳奇故事的歌；介紹同一傳奇故事的各種版本（version）；討論何謂「傳奇」；最後放映根據該傳奇故事拍攝的電影。

總之，以創造性的作法提供多媒體活動，可以鼓勵兒童多參與兒童圖書館活動及閱讀，因此愈早介紹給兒童愈是理想。

(2)　利用新科技的活動

目前美國用於兒童圖書館活動中的各種主要媒體有幻燈單片及捲片，16釐米電影、玩具、遊戲、拼圖等，僅極小部分兒童圖書館引用比較新的科技設備，如微型電腦、線上檢索資料庫、雷射磁碟（laserdisc formats）、錄放影資料及閉路電視等。今僅就微型電腦、錄放影(video)資料及電視在美國兒童圖書館活動中應用情形簡述於後：

(I)微型電腦

在所有新科技產品中，微型電腦對兒童圖書館服務的影響最大。美國許多學齡兒童已在課業上應用電腦，且利用情形相當良好（註四五）。公共圖書館提供兒童利用電腦的機會，可以使電腦對兒童教育上的功能擴大至學校體系以外。電腦軟體提供的娛樂性遊戲，不僅可增進訓練兒童邏輯思考的能力，更可以幫助兒童按自己進度獲得概念認識及新知（註四六）。圖形性的程式（graphic programs）也能提供兒童利用創造力設計圖形，甚至使沒有繪畫技巧的兒童也能製作相當美麗的設計。文字處理程式（word process programs）可以導引兒童從事文字上的表達與創作；有的兒童不慣於利用筆和紙表達，却可利用電腦作語言組合來充分表達。這種方式尤其適合生理殘障或有學習困難者（註四七）。今日在教育界利用電腦教學的機會逐漸增加，但還需要更多不僅僅是抄襲教學練習的軟體。市面上充斥著沒有經過評鑑的程式，實在很難明智的選購。美國的教育器材諮詢中心(Educational Products Information Exchange)便正從事注重評鑑軟體的適用性、易操作性及附帶資料等提昇程式品質的工作（註四八）。在公共圖書館決定提供大衆利用電腦的同時，圖書館員也必須成爲長於鑑定及有辨別力的消費者。兒童圖書館員如能參考學校進入電腦時代的經驗，深入硏討且作爲借鏡，則可避免一些錯誤的重演。

兒童圖書館員可以提供比學校範圍更廣的教育性軟體，並鼓勵兒童試驗寫作程式。芝加哥公共圖書館的North Pulaski Neighborhood圖書館在一九八二年便曾與當地電腦商合作，在該館個人電腦中心舉辦了「電腦眞好玩!」的暑期讀書會。在六星期間，兒童不但閱讀有關電腦的圖書雜誌，學習使用電腦，還獲得名貴的獎品（註四九）。電腦是多功能的工具，它也將是日後兒童圖書館舉辦活動的好助手（program aid），因爲電腦特別吸引兒童。

(Ⅱ)錄放影資料（video）

今日家庭中有錄影機者逐漸增多，圖書館應該可以將卡式錄影帶列爲外借館藏之一（註五○）。美國兒童圖書館尙未進一步利用此媒體舉辦活動，是因爲有版權問題的考慮。許多基於兒童讀物故事而製作的電影，已經以卡式錄影帶方式推出（註五一）。兒童圖書館員對於這類新館藏也會有些問題：如圖書館的錄影資料日漸增加，兒童服務部門的人員是否也應參與採購決策？兒童本人可以申請外借嗎？或是需要經過特別登記才能外借此類資料？

有些先進國家的圖書館已嚐試在圖書館中錄影各種活

動，作爲記錄及訓練工作人員之用（註五二）。由於空白錄音帶或錄影帶價錢並不昂貴，圖書館可以多多利用它們，例如將圖書館利用教育活動、書談及其他活動錄影，便可供日後外借或館內使用。在此情況下，兒童圖書館員便必須擴大及加強其選擇資料的知識，以資評鑑各種媒體並督導圖書館的錄影工作。由於新科技的發展，資訊時代無論在專業技術的要求及用人方面都爲圖書館帶來更大的壓力。但就圖書館的長期發展着眼，兒童圖書館在這些方面的努力，日後將是很值得的。因爲利用現成「包裝」（package）舉辦的活動，無論在往訪學校作書談，或提供其他特別活動時，都將能以最少的人力發揮最大的效益。

(Ⅲ)商業性、公共及閉路電視

「圖書館可否利用電視節目作活動？」是目前國外圖書館另外一個尚未定案的問題。美國迄至一九八五年，法令仍認爲錄影自用的任何電視節目影帶（面對面的教學節目除外）是違反版權法的規定（註五三）。雖然學者專家常批評電視扮演「電子娛姆」（babysitter）的角色，且提供不夠水準的節目，但不可諱言的，這種媒體在兒童的日常文化及生活中却扮演相當重要的角色，且深遠地影響他們的生活。以我們的近鄰日本而言，一九八一年日本廣播公司所作「日本兒童如何利用時間」的專題調查，發現兒童耗費在看電視的時間竟是平時閱讀時間的五、六倍，無怪乎他們那麼易於接受所謂「影像文化」（video culture ）的影響（註五四）。因此兒童圖書館員可以設法鼓勵兒童將看電視作爲獲取資訊的來源，並推崇優良節目及優良節目製作人，作爲提倡好節目的方法（註五五），或與電視臺溝通聯繫，促其多製作基於優良兒童文學作品的節目等等。

近年來觀賞閉路電視（cable TV）的人也逐漸增加，利用此媒體也是兒童圖書館接觸讀者的方法之一。美國的公共電視臺常提供時間或場地（ studio ）給圖書館運用，兒童圖書館員可選請兒童作書評活動或作學前活動及圖書館之旅等活動（註五六）。如就電視作爲讀者獲得資訊的來源這一題目來探討，則電視的確是公共圖書館日後將面臨且應深入探討的一種資料型式。美國匹茲堡大學圖書館學與資訊科學研究所曾將在美國頗受歡迎的公共電視兒童節目「羅傑爾先生的鄰居」（Mister Roger's Neighborhood）中表達的各種觀點加以分析，並利用電腦加以剖析研究，此爲首次有人利用電視節目錄影帶作爲研究工具（註五七）；另外兒童網路（Kidnet）資料庫是專門提供學生、家長、教師、圖書館員有關兒童廣播及電視節目內容的評鑑等資料（註五八）。

新科技的產生並不會如一些人想像中那般可怕，它將取代印刷書籍、傳統方式的閱讀，甚至改變了人與人的接觸等等。正如十五世紀活字版印刷的發明加速了資訊的傳遞，新科技也會加速資訊的傳遞，而且使它的傳遞更周密，更有效率，更富有創意。設若今日的圖書館員能認知他們專業的角色比較接近資訊的經營者，而非僅是傳統式的保管者，那他們將會有更多的機會開拓一個新天地，成為不同形式資訊組合的交響樂演奏者。兒童圖書館員有責任為兒童服務，幫助他們從最佳的資訊來源獲得資訊；而一個國家的未來也多少要看兒童圖書館員如何幫助兒童——未來的主人翁，迎接即將來臨的新世紀（註五九）。

國內兒童圖書館利用多媒體及新科技的活動尚不普遍，即使圖書館常利用錄影資料舉辦活動，但西方國家極關切的版權維護問題却似乎未受到大家的重視。另外，我們製作各種媒體，如錄影、錄音等方面的技術差強人意，惟推廣這方面的人才仍嫌匱乏。更有甚者，一般圖書館即使擁有器材硬體，但却普遍缺乏品質良好的軟體。圖書館也偶而利用公共電視作推廣，但節目內容無法吸引觀衆。而近年來，一般商業電視的兒童節目確實有顯著的進步，但創作步調仍嫌緩慢，有待加緊追上時代。

附　註

註　一：鄭雪玫，兒童圖書館理論/實務（臺北：學生，民 72 年），頁 136-61。

註　二：American Library Association Task Force on Excellence in Education, *Realities: Educational Reform in a Learning Society* (Chicago: American Library Assceiation, 1984), p. 3.

註　三：Issued as *Minnesota Libraries* 27:11 (Autumn, 1984).

註　四：Barbara Will Razzano, "Creating the Library Habit," *Library Journal* 110 (Feb. 15, 1985): 114.

註　五：Iffland Carol, "Preface," *Illinois Libraries* 67 (Jan. 1985): 1.

註　六：高也媚等，「參觀板橋市立兒童圖書館心得」（臺大圖館系作業，民 76 年 6 月 22 日）。

註　七：Ruby Ling Louie, "Los Angeles Chinatown Branch: A Working Model for a Library/School Joint Venture," *Illinois Libraries* 67 (Jan. 1985): 25-30.

註　八：Mary Jo Biehl, "Cooperation Plus," *Illinois Libraries* (Jan. 1985): 35-36.

註　九：Roberta Conrad, "The Asking of Questions and the Offering of Services," *Illinois Libraries* 67

(Jan. 1985): 34.

註一〇：同註一，頁146。

註一一：Precilla Moxom, "The Art of Programming: How to Do It Right If You're Broke, Understaffed, and Can't Draw a Straight Line," *Illinois Libraries* 67 (Jan. 1985): 39-41.

註一二：張之瑛等，「快樂服務、服務快樂——快樂兒童中心圖書館報告」,(輔大)圖書館學刊8期(民68年7月)，頁24-47；李淑娟等，「訪快樂兒童中心」報告(臺大圖館系作業，民76年6月)。

註一三：任玲瑜等，「大學生參與兒童活動探討」，書府8期(民76年6月)，頁48-52。

註一四：Betty Lambert, "Right from the Start," *Illinois Libraries* 67 (Jan. 1985): 31-32.

註一五：信誼親子館兒童室已編列了此類書單。

註一六：Sandy Schuckett, "You Too Can Start a Local FOCAL !!!" *Illinois Libraries* 67 (Jan. 1985): 41-44.

註一七：Maxine Payne, "In The Good Old Summertime," *Illinois Libraries* 67 (Jan. 1985): 50-52.

註一八：同註一七，頁52。

註一九：Robin Currie, "Corn and Cobwebs," *Illinois Libraries* 67 (Jan. 1985): 53-54.

註二〇：同註一，頁144-47。

註二一：Jeanne B. Hardendorff, "Storytelling and The Story Hour," *Library Trends* 12 (July 1963): 56.

註二二：Linda J. Geistlinger, "Dial-a-Story," in *Start Early for an Early Start*, ed. Ferne Johnson (Chicago: American Library Association, 1976), P. 105.

註二三：Janice N. Harrington, "The Risks of Storytelling," *Illinois Libraries* 67 (Jan. 1985): 57.

註二四：同註二三，頁58。

註二五：同註二三，頁60。

註二六：同註一，頁156。

註二七：Jane Campagna and Mary Madsen, "Toddler / Parent Story Times," *Illinois Libraries* 67 (Jan. 1985): 65-66.

註二八：同註二七。

註二九：Jo K. Potter, "Two Times Two," *Illinois Libraries* 67 (Jan. 1985): 60-61.

註三〇：同註一，頁148。

註三一：Carol Betty, "Book Talks Are Worth It!," *Illinois Libraries* 67 (Jan. 1985): 72-76.

註三二：「建立書香社會，每月來讀一書」，聯合報，民76年10月16日，第6版。

註三三：鄭雪玫，「近年來日本兒童圖書館的發展」，（輔大）圖書館學刊16期（民76年5月），頁35-39。

註三四：Serenna F. Day, "Children's Dinner Theatre - Try It, You'll Like It," *Illinois Libraries* 67 (Jan. 1985): 76-77.

註三五：Barbara Lintner, "Scenes behind the Screen: Puppetry Troupes for Children," *Illinois Libraries* 67 (Jan. 1985): 78-79.

註三六：Hans J. Schmidt and Karl J. Schmidt, *Learning with Puppets* (Palo Alto: The Puppet Masters, 1977), foreword.

註三七：Nancy Renfro, *A Puppet Corner in Every Library* (Austin: Nancy Renfro Studios, 1978), pp. 1-2.

註三八：Judy Miller, "Kids and Puppet, "*Illinois Libraries* 67 (Jan. 1985): 80.

註三九：Carol Elbert, "Parents, Kids and Books: A Literature Workshop for Parents of Preschoolers," *Illinois Libraries* 67 (Jan. 1985): 80-82.

註四〇：Marilyn Green, *Intergenerational Programming in Libraries: A Manual Based on the Experiences of the South Bay Cooperative Library System 1979-1981* (n.p.)

註四一：Jan Irving, "From Sheep to Shirt: Intergenerational Approaches to Library Programs,"*Illinois Libraries* 67 (Jan. 1985): 82-83.

註四二：同註一，頁151-52。

註四三：American Library Association，*A Multimedia Approach to Children's Literature* (Chicago: ALA, 1983), p. VIII.

註四四：同註四三，頁 IX-XI.

註四五：Bertha Cheatham, "News of '85: SLJ Annual Roundup," *School Library Journal* 32 (Dec. 1985): 19-27.

註四六：Edward L. Zeiser and Stevie Hoffman, "Computers: Tools for Thinking" *Childhood Euucation* 59 (March/April 1983): 251-54.

註四七：Julie M. T. Chan, "The Promise of Computers for Reluctant Readers," *School Library Journal* 32 (Nov. 1985): 120-31.

註四八：Susan Rappaport, "Software Collecting: Method for Madness," *Library Journal* 110 (April 1985): 56-57.

註四九：Patrick R. Dewey, "Computers, Fun, and Literacy," *School Library Journal* (Oct. 1982): 118.

註五○：Loretta L. Lettner, "Videocassettes in Libraries," *Library Journal* 110 (15 Nov. 1985): 35-37.

註五一：Karl Nyren, "News," *Library Journal* 110 (15 Nov. 1985): 18.

註五二：同註四六，頁 26。

註五三：Bernie Lukenbill, "The Local Production of Information Sources," The Reference Librarian 1/2 (Fall/Winter 1981): 162-63.

註五四：同註三三，頁 39。

註五五：Elizabeth Huntoon, "Television-May the Force Be With You," *Illinois Libraries* 62 (Dec. 1980): 897-900.

註五六：Linda Marshall, "The Cable Connection..... Our Experience with Cable TV," *Illinois Libraries*

67 (Jan. 1985): 44-48.

註五七：Barbara M. Spiegelman and Susan M. Melnick, "Access to the Neighborhood of Mister Roger: Creating a Source for Research," *School Library Journal* 32 (Nov. 1985): 136-41.

註五八：Patrice K. Andrews, "Children's Broadcasting Information Online," *American Libraries* 17 (Jan. 1986): 76-78.

註五九：Linda Ward-Callaghan, "The Effect of Eemerging Technologies on Children's Library Service," *Library Trends* (Winter 1987): 446.

第五章　國內兒童圖書館的概況與前瞻（註一）

- 壹　台北市立圖書館民生分館兒童室
- 貳　國語日報文化中心兒童圖書館
- 叁　台北市行天宮附設圖書館分館兒童部
- 肆　信誼親子館親子圖書室
- 伍　台灣省立台中圖書館兒童室
- 陸　前　　瞻

我國設置兒童圖書館的歷史雖已長達七十餘年(註二)，而兒童圖書館之普遍受到重視，卻是近數年來的現象。這個遲來的蓬勃景象是圖書館事業的喜訊，也是近十餘年經濟繁榮，社會安定、和諧帶來的果實。雖然，近數年一片欣欣向榮的氣象，使兒童圖書館產生超常速的發展，業務方面有不少突破性的建樹。事實上，若以此短暫期間能有如此績效，確實無法不令人咋舌。但若環視今日世界先進國家圖書館事業目前高度發展的情況，則又不得不自承落後，亟待急起直追。

四年前，作者曾說過：「我們瞭解加強我國圖書館事業已是當前文化建設的一大要務，而重點推動兒童圖書館之發展，以因應這個安和樂利的社會需要，更是一個刻不容緩的課題(註三)。」因此，下面以五個不同型態，且較具代表性的兒童圖書館概況，就近年來我國兒童圖書館之發展情形作一簡略敍述。

壹　台北市立圖書館民生分館兒童室（註四）

台北市立圖書館民生分館的兒童室是國內比較具規模的兒童圖書館。七十三年成立至今，各方面的發展均有長足進步。尤其在經營管理、讀者服務及推廣活動等方面，頗多可資其他兒童室觀摩借鏡之處。

(一)經營管理

台北市立圖書館民生分館在市立圖書館行政體系上的地位和和其他分館一樣，分館主任和總館所設各組組長地位相同，直接對館長負責（註五）。民生分館兒童室之所以能充分發揮其功能，似可歸功於下列三因素：⑴圖書館行政主管極重視兒童服務，將之列爲該館發展重點之一，⑵民生分館的服務重心爲兒童服務，並以此爲該館所具之特色，⑶該館主任皆曾受專業訓練，且爲有服務熱誠及行政能力的優良圖書館員。目前台北市立圖書館各分館雖已設置兒童室，並有專人負責，惟爲因應日後業務擴展，加強兒童服務，該館亟應在編制裡設置兒童服務部門主管，物色一位具兒童服務經驗，工作熱誠及經營管理技巧與能力者，負責綜管各兒童室間協調（ coordinating ）、諮詢

(consulting)及推廣工作。俾進一步督導全館兒童服務更有效地配合整個圖書館體系的業務發展。

㈡讀者服務(註六)

民生分館兒童室位於該館四樓，所占空間三百多坪，並分閱讀、展覽及活動三區，藏書約兩萬多册。室內佈置、設備、資料安排及標示等，各方面均有相當的水準。全開架式的閱覽區域分設學前幼兒圖書、親親教育圖書資料、中小學出版品及中心德目等相關圖書專櫃，並按年齡層需要將閱覽區域略加劃分，室內有新書、好書介紹，並提供小博士信箱，王姐姐信箱等靜態服務以補助該室因人力不足無法提供的參考服務。目前沒有充分發揮功能的展覽區即將改作爲閱覽區的擴展部分，而活動區則規劃爲親子區。讀者多爲來自台北市及附近地區的兒童及家長，他們一致對該室的服務給予好評，並高度利用館藏(註七)　。由於館藏利用率高，致使館藏破損情形相當嚴重，隨著館齡的增長，這種情形將會日益惡化。該館在購書預算可能範圍內，必須大量增購各種讀物及其複本，並研酌淘汰作廢圖書資料的合理解決之道，使館藏在質、量及外貌上突破目前的「困境」，則該室的讀者服務將向前邁進一大步。

㈢推廣服務

台北市立圖書館曾設計「圖書館之旅」系列暑期活動，旨在藉生動活潑的教材及活動，引導兒童認識圖書館，並培養其利用圖書館的能力，使兒童成爲快樂的愛書人，享受一個愉快而充實的童年。該項活動事先編印手册(註八)，曾分梯在民生、永春、大同及總館四處舉辦，成績斐然。該室經常有說故事活動、兒童書刊展覽、影片欣賞、班訪、講座及座談會等大小型活動，亦有配合節日的特別活動(註九)，最近又徵集訓練社會及大專青年、國小教師等於各學校及兒童室，推動「林老師說故事」活動。民生分館確是國內見報最多，公共關係最成功的圖書館之一，也可以稱得上是值得台北市驕傲，且可資其他文化機構借鏡、觀摩的兒童圖書館。

㈣展　望

該館計劃自七十六年七月起分短程(76.7-77.6)、中程(77.7-80.6)、長程(80.7-)三個階段發展，逐步達成下列目標(註一〇)：

⑴建立民生分館成爲館藏豐富，設備完善的兒童圖書館，爲學前幼兒及學齡兒童提供最佳服務。

⑵建立民生分館成爲兒童文學及兒童圖書館資料中

心。

(3)建立國小課程相關資料專櫃，爲國小師生提供教學參考資料。

(4)建立親職教育資料區，爲家長提供兒童教養、兒童心理方面書刊。

(5)提供參考諮詢服務，指導兒童閱讀及查檢資料，並解答其疑難問題。

(6)策劃、舉辦各種圖書館利用教育活動，培養兒童的閱讀興趣及利用圖書館的知能。

(7)設立視聽教室，並配合舉辦活動，期使兒童廣泛地吸收知識。

上述七大目標若圓滿達成，將會促使我國兒童圖書館事業之發展更趨完善。我們當然拭目以待，樂觀其成。

貳　國語日報文化中心兒童圖書館(註一一)

該館於民國七十四年七月開館，是國內非公立兒童圖書館界的生力軍。館舍位於國語日報大樓八樓，面積約二百四十坪，採會員制，專門服務六至十二歲學齡兒童，目前有會員3,400人左右。由於該館的設置機構係以「推廣國語，普及教育」爲宗旨，且素具盛名的報紙及兒童讀物出版社，因此極具優厚的發展潛力。

(一)經營管理

該館爲國語日報文化中心的一部門，設館長一人，館員六人，其中二位爲專業館員，另有義工多人，因爲該館爲非公營機構，在經營管理上，較少受到各種牽制和侷限，可以充分運用新觀念開拓「市場」。而且該館同仁頗多是有朝氣、有構想和抱負，又肯爲兒童們設想的。雖然該館開館時間不長、規模不大，但在今日圖書館資源共享的趨勢下，工作人員若能積極參與圖書館界的專業活動，和其他公私立兒童圖書館加強連繫、合作，日後定會獲得更多資訊交流、資源共享及圖書館專業界的支持和協助。

(二)讀者服務

該館環境優美、舒適且整潔，但利用者必須乘坐電梯到八樓該館。館內燈光、顏色、空調、設備乃至裝飾物等均經細心設計，並維護良好。館員均配帶易於識別的姓名牌，可以拉近和讀者間的距離。館內空間大致分服務台、洗手間、低年級閱覽區、遊戲間及中高年級閱覽區等六區，另有天文台及各種專科教室，但並非在同一層樓。目前館藏約八千多册，採半開架式，部份資料展示於閱覽室，供館內閱覽；讀者如欲外借圖書必須先填寫借書單，由館員從書庫內尋查，此法實不如全開架式方便，且難配合兒童的需要。唯閱覽室內藏書不多，且尚未成立參考館藏，所以該館在參考服務及閱讀指導方面，尚有待積極發展。由於該館經費充裕，館藏圖書如有破損者，均能即時加以補充，故而館藏外觀非常整齊美觀，這是國內圖書館罕有的現象。該館圖書目錄中增設注音片，以配合讀者需要；而書庫內圖書係按登錄號排架以便管理，此種作法値得商榷。該館提供大姐姐信箱、動動腦信箱，指導小朋友借還書和引導服務。該中心並另設各種教室、親子諮詢室等，提供專門服務。惟到館利用者仍以地緣密切的古亭和大安二區之學童，及到國語日報上課的小朋友爲主。該館裝置音樂器材，每到一小時播放柔和音樂，並提醒兒童時間或廣播家長的訊息，爲一別出心裁的設計。

㈢推廣服務

該館服務人員充足，而且都是活力充沛的年輕人，他們擅長於「帶領」兒童活動，故該館除了提供靜態閱讀服務及展覽，在假日還經常舉辦多樣式室內外大型活動，室外有配合季節的秋、冬、夏令營國內外活動、輔迪大自然列車等；室內則有手工藝、民俗表演、圖書館週、溫暖的相會愛心活動、話劇、布袋戲等。該館希望透過大自然環境，及各種遊戲、手工、娛樂輔導兒童生活，啓迪少年心智，倡導親子教育及家庭正當休閒活動，灌輸環境生態保育及文化建設教育觀念（註一二）。自七十六年九月起，該館與科學教室合作提供國內唯一的動植物外借和認養服務（註一三），這也是一項突破性的新嚐試。

㈣展　望

該館正計劃以下列三大目標爲其目前業務發展之重點：

⑴成立三年後，能發展諮詢服務。

⑵進一步與家長合作，使小朋友有個快樂及充實的童年，並養成其健全人格。

⑶圖書館將繼話劇「國王的新衣」及布袋戲「新嫦娥奔月」後，配合節令，嚐試舞台劇的表演（註一四）。

叁　台北市行天宮附設圖書館分館兒童部（註一五）

行天宮兒童圖書館是財團法人行天宮，本著「取諸社會，用之社會」的宗旨創辦的。行天宮附設圖書館的本館及分館，先後成立於民國六十七年及六十九年。數年來經過工作同仁的努力經營，已成爲國內頗具規模的公共圖書館。該館兒童部門包括閱覽室及活動中心，分別設置於松江路分館大樓的二、三樓。該館自創辦以來，工作人員均本著求進步、突破發展的原則，提供社區人士具有品質的服務。

㈠經營管理

該館設館長、副館長、執行秘書，均由行天宮董事會聘任，下設採編、閱覽典藏、推廣、總務等組及分館等單位，掌管有關業務。分館設主任一人綜理館務，兒童閱覽室及兒童活動中心各由兩位館員負責。總館與其唯一分館間關係密切，兒童圖書資料均由總館採編組統一採購及分編，再送分館上架；推廣組並負責本館及分館各種大型活動。目前兒童活動中心之一位館員，負責兒童活動中心及閱覽室業務上協調的工作。期望該館能多運用曾受專業訓練的館員，更積極提昇兒童服務的品質，進一步促使該館的兒童部門（包括活動中心及閱覽室）與館內其他部門，以及其他公私立圖書館機構、專業組織等維持密切聯繫與合作，以發揮資源共享的功能。

㈡讀者服務

分館的三樓爲兒童閱覽室，室內色調和諧，並播送輕音樂，氣氛相當友善親切。全館採開架式，並按分類號排架，標示清晰活潑，館藏共有圖書約一萬多册，及小册子、報紙、期刊等印刷資料。由於館藏資料淘汰更新率頗高，且注重採購必需的複本，故雖已開館多年，館藏仍能維持一定水準。除了由兒童圖書館員負責選書工作，另專設選書委員會參預其事。惟目前兒童閱覽室在上課時間利用率不高，而附近並無小學，故較不易安排「班訪」活動（註一六）。該館已將服務對象擴展至學前四歲幼兒，加強對幼兒的其他服務；並計劃簡化讀者服務程序，將閱覽證及借書證併而為一，凡此種種皆為該館力行讀者需求導向服務之表徵。兒童閱覽室內雖具備參考書，但並無專職館員負責參考諮詢服務，工作人員僅解答些簡易問題。至於圖書館利用教育及閱讀指導等服務，大都無法開展。閱覽室內其他靜態的服務尚包括每月新書展示，定時有人作新書介紹，設媽媽專櫃，被動安排「班訪」，製作幻燈片教導兒童如何利用圖書館，舉辦各種比賽等。

㈢推廣服務

分館二樓為兒童活動中心，旨在為兒童提供一處「寓教於樂」的活動場所。該室空間寬敞，採色調和悅目，目前已將地毯改裝地板，兒童可以自由玩團體遊戲，或取用館方提供的益智玩具。中心並視到館兒童多寡，安排播放卡通、錄影片。此外尚有大姐姐說故事，小朋友看圖說故事，勞作及團體遊戲等項目；寒暑假更安排特別的單元活動如：怎樣做個集郵家　、查字典比賽、唐詩朗誦、童玩列車之旅、兒童作文班、音樂班、體能班及兒童豐富之旅等。

行天宮兒童圖書館舉辦的推廣活動，通常無論在內容設計、場地、設備、海報宣傳等各方面，均相當精緻，惟參與活動人數稍嫌偏低。究其原因，可能係因爲推行圖書館利用教育之工作尚未落實，或和社區團體、學校及大衆傳播界的聯繫有欠積極，或該館兒童活動中心與閱覽室分據上下樓，且由不同人員負責等………。實務上，讀者服務與推廣活動必須相互密切配合，方能充分發揮兒童圖書館應有的功能。

㈣展　望

行天宮兒童圖書館雖具備優厚條件，惟圖書館之利用仍未能達到預期的效果。今後計劃在下列各方面努力加強：

⑴建立良好的公共關係——圖書館宜透過各種管道，與學校、幼稚園、家長及社區建立良好關係。

⑵修訂開館時間——配合大多數兒童及其他利用者的作息時間，加以調整。

⑶採取更主動、積極及專業化的服務方式。

肆　信誼親子館親子圖書室（註一七）

這一所國內頗具規模的幼兒圖書室，在民國七十三年九月正式開放，位於世貿廣場大樓內信誼親子館的二樓。

親子館採會員制，目前已有幼兒會員約 270 名，成人會員 140 名。該館成立宗旨爲提供一個父母和孩子一起學習成長的地方，並經由館長、圖書室工作同仁的努力，使該館無論舉辦活動與資料的流通均相得益彰。

㈠經營管理

親子館共有工作人員十三位，除館長以外，負責圖書室的工作人員有三位；一爲組長，其他二人分別負責該室的幼兒部及成人部。實際上，館長及圖書室的三位館員對館內大小事項擔負最大的責任。由於館員皆具備專業知識與服務的熱誠及愛心，工讀生及義工媽媽們熱心主動的支援，讀者熱心的參與與回響，使該館的業務在短期間順利拓展。惟親子館圖書室僅係信誼基金會屬下衆多單位之一，因此在活動經費方面仍需基金會的積極支應。

㈡讀者服務

親子圖書室蒐集適合父母閱讀的有關教養兒童、文史、藝術方面的圖書、中外幼兒圖畫書、期刊及報紙、小册子及剪輯、視聽資料等。幼兒圖畫書被分做十大類（概念、數、情緒及經驗、動植物、家居生活、四週環境、語文、幻想、自然及童話等），在書背以「色標」區分。該室面積不大，分爲成人及兒童二區，環境設計宜人、溫馨，而無壓迫感。在圖書推廣方面有新書展示、每月書摘、專題書展等；另外尚策劃了各種誘導讀者利用資料的推廣活動。

㈢推廣活動

親子館不僅是個親子活動中心，更是個兒童圖書館，彼此有相互催化的作用。該館擧辦各種大小型、館內外幼兒的、成人的及親子共享的活動。館內活動內容包括親子活動、故事時間、玩偶的世界、影片欣賞、體能遊戲、嬰兒遊戲、音樂小天地、媽媽團體、親職教育及親子生活系列演講、讀書會和幼幼班等。這些活動以定期或不定期的方式擧行，或配合特別的節日而設計內容，如圖書館週有圖書館巡禮等。館外活動則多利用社區資源，在國父紀念館、青年公園等場地擧辦。親子館工作人員挖空心思所設計的多樣式活動，著實吸引了不少孩子、家長及關心幼教人士，使他們主動地接近該館，進而利用館內資源。

㈣展　　望

親子館空間有限，分配給親子兒童圖書室的範圍很小，如今已計劃在重慶南路學前教育資料館館址（註一八）成立信誼兒童圖書館，其目標爲（註一九）：

⑴上下延伸服務對象（０～８歲兒童）。

⑵強調親子共讀。

(3)提昇讀者對兒童文學的鑑賞：

1.提供國內外優良讀物。

2.幼兒文學園地：介紹各國重要兒童文學獎作品及作家等。

3.成人研究區：提供兒童文學論著。

並計劃在十年內增加館藏至4,000-5,000册；館內活動則包括提供配合各年齡層的活動，親子活動及兒童文學講座等。

伍　台灣省立台中圖書館兒童室（註二〇）

臺中市區內的省立臺中圖書館兒童室，位於該館一樓，面積相當小，以往未能高度發揮其兒童服務的功能。惟近一年多來，經由曾受專業訓練，而又熱心服務的負責館員，竭力改進業務之後，該室無論在佈置、服務和讀者間的關係等各方面，均有了明顯的進步。這事實更說明了我們需要加強培養訓練，並任用更多有朝氣、有能力、肯努力開拓業務的圖書館員！

該兒童室隸屬於該館的閱覽典藏組。兒童室負責人兼任選書及編目等工作，由於曾受圖書館學專業訓練，且富工作經驗，故對兒童室工作不僅能勝任愉快，並且獲得直屬上司典閱組長的信賴。該館員在任職一年中不斷朝下列目標努力：使各項實務工作及規定合理化；建立館員與兒童、家長及教師間的和諧關係（例如開放讓家長入內）；

除工具書外，原則上圖書一律外借；幫助家長選擇兒童讀物等最基本而非常重要的工作。

兒童室除了提供閱覽、流通等服務外，平時尚有幼稚園小朋友的班訪；週日則與大專社團合辦各項才藝活動等。自七十六年九月開始，週六晚上七時半至八時，臺中軍中電臺吳姐姐主持的「妙妙世界」增加「好書園地」單元，由該室兒童圖書館員負責介紹一本好書；該館科教中心每年辦理二～三次親子科學研習營；推廣組於兒童節前舉辦兒童說故事比賽；暑假期間舉辦了有關閱讀指導及說故事的活動——「有趣的、知識的特餐」（請館內同仁說故事）、「知識水庫」（按座談方式）及小小讀書會等（註二一）。從上述各項活動，可以窺知館員們充分利用館內外資源及管道，力求突破發展的瓶頸。

目前國內唯一的省立圖書館如能重視兒童服務，加強兒童室的功能，使其最低限度成為附近地區兒童室的觀摩對象，則對臺灣省地區兒童圖書館之推廣及兒童服務各項內容之提昇有莫大裨益。

陸　前　　瞻

最近幾年間，國內兒童圖書館（室）的服務，經由衆人努力的推動和提倡，的確已有了相當的成就，惟在圖書館工作人員的「質」和「量」方面仍待進一步的努力。

「圖書館在經營上的成敗,業務上的推動，以及功能上的發揮等，每每取決於圖書館工作人員在工作表現上的良窳。」我國圖書館任用非專業人員比例偏高，導致服務態度、品質不夠理想，因而影響到館員專業形象的建立。日後我國公共圖書館趨向專業化的途徑是必然的。一旦專業人員任用的制度建立，工作人員在「質」方面的提昇，當然不在話下。公共圖書館人員的多少，須視實際情形的需要，隨時做機動式的調整。絕不能一成不變或削足適履地奉「人事精簡」原則爲圭臬，造成人員編制的不足，而長期的影響圖書館的發展(註二二)。不要忽視「人事精簡」乃是要在切實執行工作單位職責前提下辦理的。公共圖書館更應重視發揮其兒童室的功能，每室不僅應有專人負責，而且該負責的館員必須是一位熱愛兒童服務的稱職者。圖書館並應利用在職訓練，給兒童圖書館員各方面發展的機會，進一步培養其成爲一位經營管理者，不斷地在崗位上改進兒童室的業務。

將來每位兒童圖書館員的貢獻與努力，將會滙聚爲一股推動兒童圖書館事業發展的洪流。我們也無庸諱言，在圖書館的服務品質提昇到更完美的境界之前，我們尙亟待去面對下列的課題(註二三)：

㈠疏通人員任用管道，並加強工作人員的在職訓練。

㈡人力、物力資源的共享。

㈢正確圖書館觀念的灌輸。
㈣充實圖書館事業的經費及擴大人員編制。
㈤加強圖書館利用教育的實施。
㈥建立完整的圖書館行政體系。
㈦制定圖書館法。

附　註

註　一：有關各圖書館的資料來自75年度學生參觀報告、本人收集資料及各圖書館提供資料。

註　二：藍乾章，「我國早期的圖書館學」，(輔大)圖書館學刊10期（民70年11月），頁5。

註　三：鄭雪玫，兒童圖書館理論／實務（臺北：學生，民72年），頁181。

註　四：地址：臺北市敦化北路199巷5號4、5樓。

電話：7138083

註　五：臺北市立圖書館，建立臺北市立圖書館自我評鑑制度之研究（臺北：著者，民76年），頁11。

註　六：曾淑賢，「公共圖書館兒童室的經營方針」，臺北市立圖書館編，公共圖書館實務研討會會議資料（臺北：編者，民74年），頁39-44。

註　七：同註五，頁13。

註　八：臺北市立圖書館，圖書館之旅手册（臺北：編者，民76年）。

註　九：同註六，頁41-45。

註一〇：臺北市立圖書館，「臺北市立圖書館民生分館兒童資料發展計劃草案」，民76年。

註一一：地址：臺北市福州街2號8樓。

電話：3921133

註一二：國語日報，「七十六年輔迪親子秋令營活動計劃」，民 75 年。

註一三：吳顯光，「帶本『活的書』回家」，國語日報，民 76 年 10 月 18 日，第 3 版。

註一四：方家瑜，「本報兒童圖書館演出布袋戲——新嫦娥奔月」，國語日報，民 76 年 10 月 4 日，第 4 版。

註一五：地址：臺北市松江路 359 號 2、3 樓。
電話：5022236

註一六：同註三，頁 147-149。

註一七：地址：臺北市仁愛路 4 段 376 號延吉街口，仁愛世貿廣場。
電話：7039223，7039487，7008216

註一八：臺北市重慶南路 2 段 75 號 1 樓。

註一九：參考信誼親子館所提供的資料。

註二〇：地址：臺中市精武路 291 之 3 號。
電話：（042）241105-7。

註二一：古金鱗，「省立臺中圖書館兒童室暑期清涼特餐」，社教資料雜誌 109 期（民 76 年 8 月），頁 17。

註二二：范承源，「當前人員編制緊縮對於公共圖書館的影響」，臺北市立圖書館館訊 4 卷 4 期（民 76 年 6 月），頁 9。

註二三：鄭雪玫，「民國七十四年的圖書館學界—中小學及兒童圖書館」，國立中央圖書館館訊 8 卷 4 期（民 75 年 2 月），頁 398-399。

參 考 書 目

(一)中文部份

方家瑜。「本報兒童圖書館演出布袋戲——新嫦娥奔月」。
國語日報。民76年10月4日，第4版。

中國圖書館學會。視聽資料管理研討會論文集。臺北：編
者，民75年。

中國圖書館學會。圖書館學參考書目及法規標準。臺北：
編者，民74年。

古金鱗。「省立臺中圖書館兒童室暑期清涼特餐」。社教
資料雜誌109期(民76年8月)，頁17。

任玲瑜等。「大學生參與兒童活動探討」。書府8期(民
76年6月)，頁48—52。

任晟蓀。「談對幼兒說故事之重要性及方法」。國教之聲 19 卷 1 期（民 74 年 10 月），頁 9 — 11。

李德竹。圖書館學暨資訊科學常用字彙。新竹：楓城出版社，民 70 年。

吳英長。從發展觀點論少年小說的適切性與教學應用。高雄：慈恩出版社，民 75 年。

聯合報。「建立書香社會，每月來讀一書」。民 76 年 10 月 14 日，第 6 版。

范承源。「當前人員編制緊縮對於公共圖書館的影響」。臺北市立圖書館館訊 4 卷 4 期（民 76 年 6 月），頁 9。

張植珊等。文化中心評鑑工作之研究。臺北：行政院文化建設委員會，民 75 年。

陳淑琦，邱志鵬。「故事呈現方式與故事結構對學前及學齡兒童回憶及理解的影響」。青少年兒童福利學刊 8 期（民 74 年 11 月），頁 81 — 97。

國語日報。七十六年輔迪親子秋令營活動計劃。臺北：編者，民 76 年。

國語日報。國語日報文化中心兒童圖書館動植物外借和認養辦法。臺北：編者，民 76 年。

曾淑賢。「公共圖書館兒童圖書室的經營方針」。臺北市立圖書館編。公共圖書館實務研討會會議資料。臺北

：編者，民 74 年。

黃宏文。「圖書館業務之評鑑」。圖書館學與資訊科學 4 卷 2 期（民 67 年 10 月），頁 153。

資訊工業策進會。邁向資訊化社會。臺北：編者，民 76 年。

臺北市立圖書館。建立臺北市立圖書館自我評鑑制度之研究。臺北：編者，民 76 年。

臺北市立圖書館。臺北市立圖書館民生分館兒童資料發展計劃草案。臺北：編者，民 76 年。

臺北市立圖書館。圖書館之旅手册　。臺北：編者，民 76 年。

鄭雪玫。「大家一起關心學前兒童讀物」。書香廣場 5 期（民 76 年 4 月），頁 2—4。

鄭雪玫。「民國七十四年的圖書館學界——中小學及兒童圖書館」。國立中央圖書館館訊 8 卷 4 期（民 75 年 2 月），頁 398—399。

鄭雪玫。「兒童閱讀興趣的探討」。（輔大）圖書館學刊 15 期（民 75 年 6 月），頁 18—21。

鄭雪玫。兒童圖書館理論／實務。臺北：學生，民 72 年。

鄭雪玫。「近年來日本兒童圖書館的發展」。（輔大）圖書館學刊 16 期（民 76 年 5 月），頁 35—39。

鄭雪玫。「國內探討兒童閱讀之新方向」。書府 7 期（民

75年6月），頁19—22。

鄭雪玫。「圖書館員繼續教育——兼談紐約市立布魯克林公共圖書館施行情形」。臺北市立圖書館館訊4卷3期（民76年3月），頁23—25。

盧秀菊。「公共圖書館服務成效評估方法與應用」。中國圖書館學會會報39期（民75年12月），頁2。

盧秀菊。「美國公共圖書館經營的計劃程序」。（臺大）圖書館學刊4期（民74年11月），頁133—158。

盧秀菊。「簡介公共圖書館服務成效評估手册」。書府7期（民75年6月），頁28—33。

藍乾章。圖書館行政。臺北：五南，民71年。

㈡英文部份

American Library Association. *A Multimedia Approach to Children's Literature*. Chicago: American Library Association, 1983.

-----. *Task Force on Excellence Education, Realities: Educational Reform in a Learning Society*. Chicago: American Library Association, 1984.

Anderson, Richard C., et al. *Becoming a Nation of Readers: The Report of the Commission on Reading*. Washington D.C.: National Institute of Education, 1984.

Andrews, Patrice K. "Children's Broadcasting Information Online." *American Libraries* 17 (January 1986): 76-78.

Aron, Shirley. *A Study of Combined School-Public Libraries*. Chicago: American Library Assocation, 1980.

Association for Library Service to Children. *Programming for Very Young Children*. Chicago: American Library Association, 1980.

Baskin, Barbara Holland, and Harris, Karenlt. *The Special Children in the Library*. Chicago: American Library Association, 1976.

Beiser, Karl. "256 Kilobytes and a Mule." *Library Journal* 110 (May 1, 1985): 117.

Benne, Mae. "Educational and Recreational Services of the Public Library for Children." *Library Quarterly* 48 (October 1978): 499-510.

Betty, Carol. "Book Talks Are Worth It!" *Illinois Libraries* 67 (January 1985): 72-76.

Biehl, Mary Jo. "Cooperation Plus." *Illinois Libraries* 67 (January 1985): 35-36.

Bodart, Joni. "Book You!" *Voice of Youth Advocates* 9 (April 1986): 22-23.

"Books for the Youngest Child." *Booklist* 80 (November 1983): 422-424.

Bowen, Ezra. "Trying to Jump-Start Toddlers." Time 127 (April 7, 1986): 66.

Brazelton, T. Berry. *Working and Caring*. Reading, Mass.: Addison-Wesley, 1985.

Brown, Laurence, and Brown, Krasny. "What Books Can Do That TV Can't and Vice Versa." *School Library Journal* (April 1986): 38-39.

Bryant, Pat. *Books for Two-Year-Olds*. Madison. Wi.: Cooperative Children's Book Center, 1978.

Butler, Dorothy. *Babies Need Books*. New York: Atheneum, 1980.

Campagna, Jane, and Madsen, Mary. "Toddler/Parent Story Times." *Illinois Libraries* 67 (January 1985): 65-66.

Carol, Iffland. "Preface." *Illinois Libraries* 67 (January 1985): 1.

Carroll, Frances Lauerne, and Meacham, Mary. *Exciting, Funny, Scary, Short, Different, and Sad Books Kids Like about Animals, Science, Sports, Families, Songs, and Other Things*. Chicago: American Library Association, 1984.

Chan, Julie M. T. "The Promise of Computers for Reluctant Readers." *School Library Journal* 32 (November 1985): 120-131.

Cheatham, Bertha. "News of '85: SLJ Annual Round up." *School Library Journal* 32 (December 1985): 19-27.

Chelimsky, Eleanor, ed. "Old Patterns and New Directions in Program Evaluation." *Program Evaluation: Patterns and Direction*. Washington D.C.: ASPA, 1985.

Chelton, Mary K. "Developmentally Based Performance

Measures for Young Adult Services." *Top of the News* 41 (Fall 1984): 39-51.

-----. "Evaluation of Children's Services." *Library Trends* (Winter 1987): 464-468.

Children's Services Round Table. *You Two! Two-Year-Olds and the Library*. Columbia, Missouri: Missouri Library Association.

Colwell, Eileen. "What is Storytelling?" *The Horn Book* (June 1983): 245-269.

Conrad, Roberta. "The Asking of Questions and the Offering of Services." *Illinois Libraries* 67 (January 1985): 34.

Considine, David M. "Literacy and Children's Books: An Integrated Approach." *School Library Journal* (September 1986): 38-41.

Coody, Betty. *Using Literature with Young Children*, 2nd ed. Dobque, Iowa: Wm. C. Brown, 1979.

Coughlin, Caroline M. "Children's Librarians: Managing

in the Midst of Myths." *School Library Journal* 24 (January 1978): 15-18.

Currie, Robin. "Corn and Cobwebs." *Illinois Libraries* 67 (January 1985): 53-54.

Day, Serenna F. "Children's Dinner Theatre--Try It, You'll Like It." *Illinois Libraries* 67 (January 1985): 76-77.

D'Elia, George. "Materials Availability Fill Rates--Useful Measure of Library Performance?" *Public Libraries* 24 (Fall 1985): 106-110.

Dewey, Patrick R. "Computers, Fun, and Literacy," *School Library Journal* (October 1982): 118.

De Wit, Dorothy. *Children's Faces Looking Up*. Chicago: American Library Association, 1979.

Edelman, Hendrik. *Libraries and Information Science in the Electronic Age*. Philadelphia: ISI Press, 1986.

Edmonds, M. Leslie. "From Superstition to Science: The Role of Research in Strengthening Public Library

Service to Children." *Library Trends* (Winter 1987): 509.

Elbert, Caral. "Parents, Kids and Books: A Literature Workshop for Parents of Preschoolers." *Illinois Libraries* 67 (January 1985): 80-82.

Elkin, David. *The Hurried Child--Growing Up Too Fast Too Soon*. Reading, Mass.: Addison-Wesley, 1981.

Emmens, Carol A. "The Big TV-Off." *School Library Journal* (February 1985): 43.

Evans, Susan H., and Clarke, Peter, ed. *The Computer Culture*. Indianapolis, Indiana: White River Press, 1984.

Faculjak, Barbara A. "Library Theatre Makes Books Come Alive!" *School Library Media Quarterly* 14:4 (Summer 1986): 180-182.

Fasick, Adele and England, Claire. *Children Using Media: Reading and Viewing Preferences Among the Users and Non-Users of the Regina Public Library*. Saskatchewan: Regina Public Library, 1977.

Fitzgibbons, Shirley. "Research on Library Services for Children and Young Adults: Implications for Practice." *Emergency Librarian* 9 (May/June 1982): 11.

Garrison, Dee. *Apostles of Culture: The Public Librarian and American Society, 1876-1920*. New York: Free Press, 1979.

Green, Marilyn. *Intergenerational Programming in Libraries: A Manual Based on the Experiences of the South Bay Cooperative Library System 1979-1981*.

Greene, Ellin. "Early Childhood Center's Three Models." *School Library Journal* (February 1984): 21-27.

Gulick, Luther, and Urwick, Lyndall, ed. *Papers on the Science of Administration*. New York: Columbia University Press, 1937.

Hardendorff, Jeanne B. "Storytelling and the Story Hour." *Library Trends* 12 (July 1963): 56.

Harrington, Janice. "The Risks of Storytelling." *Illinois Libraries* 67 (January 1985): 57.

Hearne, Betsy. *Choosing Books for Children: A Common Sense Guide*. New York: Delacorte, 1981.

Hewitt, Jill. *Toys and Games in Libraries*. London: Library Association, 1981.

Heyns, Barbara. *Summer Learning and the Effects of Schooling*. New York: Academic Press, 1978.

Hunt, Mary Alice. *A Multimedia Approach to Children's Literature*. 3rd ed. Chicago: American Library Association, 1983.

Hunton, Elizabeth. "Television--May the Force Be with You." *Illinois Libraries* 62 (December 1980): 897-900.

Irving, Jan. "From Sheep to Shirt: Intergenerational Approaches to Library Programs." *Illinois Libraries* 67 (January 1985): 82-83.

Ivy, Barbara A. "Developing Managerial Skills in Children's Librarians." *Library Trends* (Winter 1987): 449.

Izard, Anne R. "Children's Librarians in 1970." *American Libraries* 2 (October 1971): 977.

Johnson, Ferne, ed. *Start Early for an Early Start*. Chicago: American Library Association, 1976.

Katz, Robert L. "Skills of an Effective Administrater." *Harvard Business Review* 52 (September/October 1974): 90-102.

Kimmel, Margaret Mary. "Baltimore County Public Library: A Generalist Approach." *Top of the News* 37 (Spring 1981): 301.

Kobayashi, Noburu, and Brazelton, T. Berry. *The Growing Child in Family and Society*. Tokyo: University of Tokyo Press, 1984.

Lambert, Betty. "Right from the Start." *Illinois Libraries* 67 (January 1985): 31-32.

Leigh, Robert D. *The Public Library in the United States*. New York: Columbia University Press, 1950.

Léo, John. "Could Suicide Be Contagious?" *Time* 127

(February 24, 1986): 59.

Lettner, Loretta L. "Videocassettes in Libraries." *Library Journal* 110 (November 15, 1985): 35-37.

Lintner, Barbara. "Scenes Behind the Screen: Puppetry Troupes for Children." *Illinois Libraries* 67 (January 1985): 78-79.

Loch-Wouters, Marge. "Tough Books." *School Library Journal* 29 (March 1983): 120-121.

Locke, Jill, and Kimmel, Margaret. "Children of the Information Age." *Library Trends* (Winter 1987): 365-366.

Long, Harriet G. *Public Library Service to Children: Foundation and Development*. Metuchen, N.J.: Scarecrow, 1969.

Louie, Ruby Ling. "Los Angeles Chinatown Branch: A Working Model for a Library/School Joint Venture." *Illinois Libraries* 67 (January 1985): 25-30.

Lukenbill, Bernie. "The Local Production of Information

Sources." *The Reference librarian* 1/2 (Fall/Winter 1981): 162-163.

Lushington, N. "Designed for Users (Children's Library)." *Wilson Library Bulletin* 58 (February 1984): 424-426.

Lynch, Mary Jo. "Measurement of Public Library Activity: The Search for Practical Methods." *Wilson Library Bulletin* 57 (January 1983): 388-393.

Madsen, Mary, Comp. *Toddler/Parent Story Time: Why Bother?* Bettendorf, Iowa: Bettendorf Public Library, 1983.

Marshall, Linda. "The Cable Connection... Our Experience with Cable TV." *Illinois Libraries* 67 (January 1985): 44-48.

Miller, Judy. "Kids and Puppet." *Illinois Libraries* 67 (January 1985): 80.

Minimum Standards for Public Library Systems. Chicago: American Library Association, 1967.

Minnesota libraries 27:11 (Autumn 1984)

Mintzberg, Henry. "The Manager's Job: Folklore and Fact." *Harvard Business Review* 53 (July/August 1975): 49-51.

Moran, Barbara B. "Survey Research for Libraries." *Southern Librarian* 35 (Fall 1985): 78-81.

Moxom, Precilla. "The Art of Programming: How to Do It Right If You're Broke, Understaffed, and Can't *Draw* a Streight Line." *Illinois Libraries* 67 (January 1985): 39-41.

Moynihan, Daniel Patrick. *Family and Nation*. San Diego: Harcourt, Brace, Jovannovich, 1986.

National Commission on Excellence in Education. *A Nation at Risk: The Imperative for Educational Reform*. Washington D.C.: Superintendent of Documents, 1983.

National Council of Teachers of English. Committee on Literature in the Elementary Language Arts. *Raising Readers: A Guide to Sharing Literature with Young Children*. Bettendorf, Iowa: Walker, 1980.

Naylor, Alice P. "Reaching All Children: A Public Library Dilemma." *Library Trends* (Winter 1987): 388.

Nyren, Karl. "News." *Library Journal* 110 (November 15, 1985): 18.

Packard, Vance. *Our Endangered Children, Growing up in a Changing World*. Boston: Little, Brown, 1983.

Palmour, Vernon E., Bellassai, Marcia C., and Dewath, Nancy V. *A Planning Process for Public Libraries*. Chicago: American Library Association, 1980.

Parke, Ross D., and Collmer, Candace Whitmer. "Child Abuse: An Interdisciplinary Analysis." *Review of Child Development Research* 5 (1975): 518-543.

Payne, Maxine. "In the Good Old Summer Time." *Illinois Libraries* 67 (January 1985): 50-52.

Pillon, Nancy Bach. *Reaching Young People Through Media*. Littleton, Colorado: Libraries Unlimited, 1983.

Plummer, Mary Wright. "The Work for Children in Free Libraries." *Library Journal* 22 (November 1897): 681-

682.

Potter, Jo K. "Two Times Two." *Illinois Libraries* 67 (January 1985): 60-61.

Powell, Ronald R., et al. "Childhood Socialization: Its Effect on Adult Library Use and Adult Reading." *Library Quarterly* 54 (July 1984): 245-264.

Public libraries Services: A Guide to Evaluation, Minimum Standards. Chicago: American library Association, 1956.

Rappaport, Susan. "Software Collecting: Method for Madness." *Library Journal* 110 (April 1985): 56-57.

Rayward, W. Boyd. "Programming in Public Libraries: Qualitative Evaluation." *Public libraries* 24 (Spring 1985): 24-27.

Razzano, Barbara Will. "Creating the Library Habit." *Library Journal* 110 (February 15, 1985): 114.

Renfro, Nancy. *A Puppet Corner in Every Library*. Austin: Nancy Renfro Studies, 1978.

Robbins-Carter, Jane, and Zweizig, Douglas L. "Are We There Yet? Evaluating Library Collections, Reference Services, Programs, and Personnel." *American Libraries* 16-17 (October 1985-March 1986): 624-627, 724-727, 780-784; 32-36.

Sayers, Frances Clarke. "Of Memory and Muchness." in *Summoned by Books: Essays and Speeches by Frances Clarke Sayers*; comp. by Marjeanne Jen Son Blinn. New York: Viking, 1965.

Schmidt, Hans J., and Schmidt, Karl J. *Learning with Puppets*. Palo Alto: The Puppet Masters, 1977.

Schuckett, Sandy. "You Too Can Start a Local Focal !!!" *Illinois Libraries* 67 (January 1985): 41-44.

Self, Frank. *Materials for Adults to Use With Children from Birth to Three: A Selected Resource List*. Farmington, Conn.: Farmington Public Library, 1982.

Sherman, L. "Have a Story Lunch." *School Library Journal* 33 (October 1986): 120-121.

Shontz, Marilyn Louise. "Selected Research to Children's

and Young Adult Services in Public libraries." *Top of the News* 32 (Winter 1982): 125-142.

Smardo, Frances. *What Research Tells Us About Storyhours and Receptive Language*. Dallas: Dallas Public Library and North Texas State University, 1982.

Spiegelman, Barbara M., and Memick, Susan M. "Access to the Neighborhood of Mister Roger: Creating a Source for Research." *School Library Journal* 32 (November 1985): 136-141.

"Standards for Public Libraries." *American Library Association Bulletin* 27 (1933).

Stueart, Robert D., and Eastlick, John Taylor. *Library Management*. 2nd ed. Littleton, Colo.: Libraries Unlimited, 1981.

Suransky, Varlerie Polakow. "A Tyranny of Experts." *The Wilson Quarterly* 6 (Autumn 1982): 54.

Swanson, B. "Participation Storytelling." *School Library Journal* 31:48 (April 1985): 48.

Taitt, Henry A. "Children--Libraries--Computers." *Illinois Libraries* 62 (December 1980): 901-903.

Thomas, James L., and Loring, Ruth M. *Motivating Children and Young Adults to Read*. Vol. I. Phoenix, Arizona: Oryx Press, 1979.

-----. *Motivating Children and Young Adults to Read*. Vol. II. Phoenix, Arizona: Oryx Press, 1983.

Trelease, Jim. *The Read-Aloud Handbook*. New York: Penguin Books, 1985.

Van Vliet, Virginia. "The Fault Lies Not in Our Stars--The Children's Librarian as Manager." *Canadian Library Journal* 37 (October 1980): 329.

Weiss, Carol H. *Evaluation Research: Methods of Assessing Program Effectiveness*. Englewood Cliffs, N.J.: Prentice-Hall, 1972.

Whitehead, Robert J. *A Guide to Selecting Books for Children*. Metuchen, N.J.: Scarecrow Press, 1984.

Williams, Delmus E., and Racine, Drew. "Planning for

Evaluation: The Concept of Pre-Evaluation." *LAMA Newsletter* 11 (September 1985): 73-75.

Wirth, Marian. *Musical Games, Fingerplays and Rhythmic Activities For Early Childhood*. Bettendorf, Iowa: Parker, 1983.

Word-Callaghan, Linda. "The Effect of Emerging Technologies on Children's Library Service." *Library Trends* (Winter 1987): 446.

Wrapp, Edward H. "Good Managers Don't Make Policy Decisions." *Harvard Business Review--On Management*. New York: Harper and Row, 1975.

Young, Diana. "Output Measures for Children's Services in Wisconsin Public Libraries." *Public Libraries* 25:1 (Spring 1986): 30-32.

Young, Diana., ed. "Service to Children." *Public Libraries* (Fall 1983): 111-113.

Zeiser, Edward L., and Hoffman, Stevie. "Computers: Tools for Thinking." *Childhood Education* 59 (March/April 1983): 251-254.

Zweizig, Douglas, and Rodger, Eleanor Jo. *Output Measures for Public Libraries: A Manual of Standardized Procedures*. Chicago: American Library Association, 1982.

索　引

壹、中文索引

六　畫

七　畫

八　畫

九　畫

十　畫

十一畫

十二畫

十三畫

十四畫

十五畫

十六畫

十七畫

十八畫

十九畫

二十畫

二十二畫

貳、英文索引

A

B

C

D

E

F

G

H

附　錄

壹　有關評鑑的參考資料

㈠New Hanover 圖書館兒童部門活動評鑑表

㈡Wolfsohn 圖書館幼兒故事活動評鑑表

㈢Virginia Beach 公共圖書館錄音廣播故事活動的可行性研究

㈣調查North Carolina 州少年中心課後活動參加者問卷

㈤Des Plaines 圖書館調查教師對兒童圖書館服務的需求問卷

貳　參考專文

㈠兒童文學與兒童圖書館

㈡兒童讀物的評鑑與選擇

㈢如何為幼兒(〇至七歲)選擇讀物

壹　有關評鑑的參考資料

(一)Youth Services Department, New Hanover County Public Library Program Evaluation Form

Name______
Date______
Program______

Scale: 2-poor
4-fair
6-average
8-very good
10-exceptional

		Comments
1. Attitude toward children (cheerfulness, welcoming, comfortable)		
2. Attitude toward parents/teachers (approachable, comfortable, helpful)		
3. Preparation (familar with all material)		
4. Theme (appropriate, used throughout prog.)		
5. Program flow (smooth, orderly, keeps children involved)		
6. Selection of material (app. to age and dev. level of children)		
7. Balance of formats (use of books, AV and activities)		
8. Presentation (voice, movement, body language)		
9. Use of activities (as stimulation or calming factor)		
10. Control (of children and adults)		

Reprinted with permission of Youth Services Coordinator, New Hanover County Public Library, Wilmington, NC

(一) New Hanover 圖書館兒童部門活動評鑑表

評分標準：2 — 差　　8 — 佳　　姓名＿＿＿＿＿＿

4 — 尚可　10 — 極佳　　日期＿＿＿＿＿＿

6 — 中等　　　　　　　　活動＿＿＿＿＿＿

	評分	評語
1. 館員對兒童的態度		
2. 館員對家長及教師的態度		
3. 館員的準備工作		
4. 活動的主題		
5. 活動進行的情形		
6. 資料的選擇		
7. 活動內容是否均衡		
8. 活動的品質		
9. 活動的目的		
10. 館員對活動的掌握		

(二) Wolfsohn Memorial Library, Pennsylvania
Toddler Story Hour
Parent's Evaluation

We would appreciate your comments about this program in order to help evaluate its worth and to help determine whether it should be continued.

Time of day: Too early____ Too late______ OK_________
Length:
(each program) Too short___ Too long_____ OK_______
Length: (series) Too short___ Too long_____ OK________
Place: Too small___ Too many distractions___ OK_____
Size of group: Too large___ OK___

Program and materials used:

Not enough planned_________ To much planned________
Child not interested in stories_____
Child not interested in activities_____
Stories, activities too old for child_____
Stories, activities too young for child_____
Stories, activities OK_____

Would you attend this program again?_____
Why or why not?____

Would you recommend this program to a friend or neighbor? Yes___ No___
Did you find this program helpful in selecting library materials for your child? Yes_____ No_____

Since you both began participating in the program, have you noticed any changes in your child:

Longer attention span Yes_____ No______
Greater interest in looking at books Yes_____ No______
Greater interest in listening to stories at home Yes_____ No______
Greater enjoyment and interest in coming to the library Yes____ No______
Greater rapport with other children Yes____ No______
Greater rapport with adults outside the family Yes____ No______

Do you have any comments you would like to add?________________________

Source: C.Y.P.S.L.'s Idea Exchange Handbook, Pennsylvania Library Association, 1981

Reprinted with permission of Wolfsohn Memorial Library.

(二) Wolfsohn 圖書館幼兒故事活動評鑑表
（家長的意見）

我們希望您們提供對活動的批評，有助於我們評鑑活動的價值及決定是否繼續主辦該活動。謝謝！

時間：　　太早____ 太晚____ 可以____

長度：

（個別活動）　太短____ 太長____ 可以____

（系列活動）　太短____ 太長____ 可以____

地方：　　太小____ 太多干擾____ 可以____

人數：　　太多____ 可以____

活動所用資料：

計劃不夠______ 計劃太多______

孩子對故事不感興趣______

孩子對活動不感興趣______

故事、活動對孩子太難______

故事、活動對孩子太簡單______

故事、活動都可以______

您將再參加這活動嗎？______

爲什麼參加或爲什麼不參加？______

您會推薦此項活動給朋友或鄰居嗎？　會＿＿不會＿＿

此項活動有助於您為孩子選擇讀物嗎？　有＿＿沒有＿＿

自從您和孩子參加此項活動後，孩子是否有下列改變：

注意力集中時間較長	是＿＿否＿＿
對看書較有興趣	是＿＿否＿＿
在家聽故事時較有興趣	是＿＿否＿＿
比較喜歡上圖書館	是＿＿否＿＿
與其他孩子相處較融洽	是＿＿否＿＿
與家庭以外的大人相處較融洽	是＿＿否＿＿

您還有其他的評語嗎？＿＿＿＿＿＿＿＿＿＿

㈢　CABLE STORYTIME FEASIBILITY STUDY

Number of Titles: 42			
Inquiries to Publishers		*Response from Publishers*	
Initial letters	24	Initial responses	18
Additional	6	Additional	4
Total	30	Total	22
			(73% of Publishers)
Turnaround Time		Fees	
One month	8	Free (1 time only)	9
Two months	8	Free (3 times only)	5
Three months	6	Free (unlimited)	8
Total	22	Total free	22 (52% titles)
		Fee required	3 (7% titles)
		Range: $25 - $500	

㈢ Virginia Beach 公共圖書館錄音廣播故事活動的可行性研究

發信徵求出版者意見		出版者回覆	
第一次發信	24	回覆	18
再次發信	6	回覆	4
合計	30		22
回覆時間		**收費**	
一月	8	免費（僅一次免費）	9
二月	8	免費（僅三次免費）	5
三月	6	免費（無限次數）	8
合計	22	免費共計	22
		（佔所用故事書 52％）	
		收費	3
		（佔所用故事書 3％）	
		$ 25— $ 500	

* 共用故事書 43 種

(四) Center for Early Adolescence Program Participant Questionnaire

We are interested in knowing what you think about this program. Please take the time to answer these questions so we can make our program even better.

1. How old are you? ________

2. Are you ____male? _____female?

3. How often do you come to this program? ________

4. What do you like about this program?

5. What do you not like about this program?

6. Is there an adult here whom you talk to when you want advice or just want to talk about personal concerns and problems? ____yes _____no

7. Do you think this statement is true or false? "Almost everyone at this program has a close relationship with at least one adult staff member." ____true ____false

8. Do you think this is true or false? "The adults at this program really care about me." ____true ____false

9 What are the three most important rules here?

10. Do people frequently break the rules here? ____yes _____no

    Why is that?

    What happens when they do?

11. Do you have a voice in making decisions and planning activities here? ____yes _____no

12. Do you feel safe here? ____yes _____no

    Explain.

13. Do you get to do something you are good at here? ____yes _____no

    If yes, what? If no, why not?

14. Do you get to do things you like to do here? ____yes _____no

    If yes, name two things:

    If not, why not?

    What could be done to give you more opportunities to do the things you like?

15. What is the purpose of this program? What does it stand for?

16. What changes would you like to see at this program?

    Is there a way you can help make these changes? ____yes _____no

    If yes, how?

17. What do you think is the biggest problem young people your age have? Does this program help you and your friends deal with that problem? If yes, how? If no, why not? What could be done here to help you with that problem?

18. How do you get here after school, (for instance, by bus, bike, walking, carpool)? ______________________

    Is this convenient? ____yes _____no

19. Is there something else you would rather be doing after school? ____yes _____no

20. On days when you do not come to this program, what do you do? (Check all that you do.)

a. take care of young brothers and sisters. ____yes ____no
b. participate in school activities (such as cheerleading clubs, and sports. ____yes ____no
c. receive tutoring ____yes ____no
d. participate in other organized groups or clubs ____yes ____no
e. do volunteer work (such as helping in a hospital, tutoring ____yes ____no
f. do work for pay ____yes ____no
g. participate in non-school-sponsored team sports ____yes ____no
h. play outdoors in the neighborhood, at a sports field, or on a local playground ____yes ____no
i. go to a shopping district or mall ____yes ____no
j. go to the library ____yes ____no
k. visit a museum ____yes ____no
i. go to church or synagogue activities ____yes ____no
m. hang around (where?______________) ____yes ____no
n. stay at home ____yes ____no
o. visit a friend ____yes ____no
p. other ____yes ____no

21. How did you learn about this program?

22. List some things you would like to do or learn about; for example, "tour a TV station" or "learn how to cook."

a.
b.
c.
d.
e.
f.

23. What else would you like to tell us about how you feel about this program?

Reprinted with permission from the
Center for Early Adolescence
Suite 223
Carr Mill Mall
Carrboro, NC 27510

㈣調查 North Carolina 州少年中心課後活動參加者問卷

我們很希望瞭解你對活動的意見，請抽空回答下列問題，使我們能將活動辦得更好。謝謝！

1. 你今年幾歲？＿＿＿＿＿＿＿＿
2. 你是男生還是女生？＿＿＿＿＿＿＿＿
3. 你多久參加一次我們的活動？＿＿＿＿＿＿＿＿
4. 你喜歡我們活動的那些項目？＿＿＿＿＿＿＿＿
5. 你不喜歡我們活動的那些項目？＿＿＿＿＿＿＿＿
6. 當你有問題或有人給你意見時，我們有人協助你嗎？＿＿
7. 你認為下列的話是不是真的？

   「幾乎每一位參加這個活動的人，都和本中心工作人員維持密切關係。」

   真的＿＿＿假的＿＿＿

8. 你認為這是不是真的？

   「這個活動的工作人員（成人）是真正關心我。」

   真實＿不實＿＿＿

9. 我們活動的三項重要規則是什麼？＿＿＿＿＿＿＿＿
10. 你常不遵守我們活動的規則嗎？　　是＿＿＿否＿＿＿

    為什麼？＿＿＿＿＿＿＿＿

假如不遵守規則，你認為會產生什麼樣的後果？＿＿＿＿＿

11.你有機會參與我們各種活動的計劃與決策嗎？　是＿否＿＿

12.你在這裡感到安全嗎？　　是＿＿否＿＿＿＿＿＿＿＿＿＿

請加以說明＿＿＿＿＿＿＿＿＿＿＿＿＿＿＿＿＿＿＿＿＿＿＿＿

13.在這個活動中，你能發揮你的專長嗎？　能＿＿＿不能＿＿＿

如果能，做什麼？＿＿＿＿＿＿＿＿＿＿＿＿＿＿＿＿＿＿＿＿

如果不能，為什麼？＿＿＿＿＿＿＿＿＿＿＿＿＿＿＿＿＿＿＿

14.在這裡你有機會做你喜歡做的事嗎？　　有＿＿＿沒有＿＿＿

如果有，請舉兩件：＿＿＿＿＿＿＿＿＿＿＿＿＿＿＿＿＿＿＿

如果沒有，為什麼？＿＿＿＿＿＿＿＿＿＿＿＿＿＿＿＿＿＿＿

如何才能使你有更多機會做你喜歡做的事？＿＿＿＿＿＿＿

15.我們活動的目的與宗旨是什麼？＿＿＿＿＿＿＿＿＿＿＿＿＿

16.你希望我們活動有那些應該改進的地方？＿＿＿＿＿＿＿＿

你有辦法幫忙改進嗎？　　有＿＿＿＿＿沒有＿＿＿＿＿

假如有，怎樣做？＿＿＿＿＿＿＿＿＿＿＿＿＿＿＿＿＿＿＿＿

17.你們這個年齡的少年，最大的問題是什麼？＿＿＿＿＿＿＿

這個活動有助於你們面對問題嗎？＿＿＿＿＿＿＿＿＿＿＿＿

18.放學後，你如何來到這裡？（坐公車，騎車子……）＿＿＿

19.放學後你情願做其他別的事嗎？　　　　　是＿＿＿否＿＿＿

20.當你不來這裡參加活動時，你做些什麼事？（可以複選）

(1)照顧弟妹　　是＿＿＿否＿＿＿

(2)參加學校課外活動　　是＿＿＿否＿＿＿

⑶ 補習　是____否____

⑷ 參加其他社團活動　是____否____

⑸ 做義工　是____否____

⑹ 做事賺錢　是____否____

⑺ 參加學校以外的各種社團活動　是____否____

⑻ 在戶外遊玩　是____否____

⑼ 逛購物區或鬧市　是____否____

⑽ 上圖書館　是____否____

⑾ 參觀博物館　是____否____

⑿ 參加宗教活動　是____否____

⒀ 到處閒蕩　是____否____

⒁ 在家　是____否____

⒂ 看朋友　是____否____

⒃ 其他　是____否____

21.你如何知道這個活動？____________________

22.列出數種你喜歡做或學習的事（例如參觀電視影棚或學習烹飪）：

⑴

⑵

⑶

⑷

23.你還有其他有關這個活動的事要告訴我們嗎？__________

(五) Name ______________________
School ________________ Grade __________

In what way can the public library help you?

1.Prepare a subject book list? ______________
If yes, on what subject(s) ______________

2.Display classroom projects? ______________
If yes, please describe the display including such information as:
-subject ______________________
-how many displays ______________
-size of project ________________
-when available ________________
-how long will it be available __________

3.Prepare book talks and story presentations?
____
If yes:
-where would you like the book talk to take place, i.e., at your school or at the library
____
-on what subject (nonfiction, fiction)
____
-how long would you like the talk to be
____
-when ______________________

4.Teach and reinforce library and research skills?
A. In what area:
-Readers Guide ________________
-Special Reference materials __________
-Others ______________________
B. Demonstrate Microfilm Reader __________
C. Other ______________________
Please give some indication of when you would like us to do this for you ______________

5.Schedule your class for a library visit?
__________ If yes, when? __________

6.Other ______________________

(五) Des Plaines圖書館調查教師對兒童圖書館服務的需求問卷

教師姓名：________________

學校：________________ 任教班級：____________

圖書館應如何協助您？

1. 您需要圖書館爲您編列主題書目嗎？

   假如需要，主題為：________________

2. 您需要圖書館展示學生的作業或作品嗎？

   假如需要，請提供下列資料

   主題：________________

   展出次數：________________

   規模大小：________________

   展示時間：________________

   展示期限 ________________

3. 您需要圖書館提供好書介紹或說故事的活動嗎？

   假如需要，

   活動地點在學校或圖書館________

   主題（知識性，故事性）________

   時間長短 ________________

   何時舉行 ________________

4. 您需要圖書館提供圖書館利用教育及研究方法的服

務嗎？______________________________

A 在那一方面

閱讀指導____________

利用參考資料____________

其他________________

B 指導如何利用閱讀機（縮影資料閱讀機）

C 其他______________________________

請說明需要服務的時間______________

5. 您希望帶學生到圖書館作一次班訪嗎？

假如希望，何時？______________

6. 其他________________

貳　參考專文

㈠兒童文學與兒童圖書館

(1)

多次參加國內兒童文學發展座談會，發現學者專家們通常祇談兒童文學應如何發展，而未涉及兒童圖書館發展與兩者之密切關係。探討其原因可能有二：㈠社會大衆普遍對圖書館缺乏認識，而致圖書館之功能未完全受重視；㈡大家忽略了兒童文學的發展，本質上，是一個輻輳過程，有賴作家、挿畫家、出版者、書商、學校、圖書館、社會團體、大衆及各階層政府機構的積極參與和推廣，同時朝著一個目標努力，方能有成。試就世界兒童文學發展先進國家的美國爲例，兒童文學的發展與兒童圖書館的發展便是一個密不可分，相輔相成的關係。而兒童圖書館更是發展兒童文學由點至面的傳播站；也是兒童讀物最有力的推廣市場。本文僅就美國兒童文學發展之過程作簡單的介紹，以闡述兒童文學的發展與兒童圖書館的發展之密切關係。

(2)

十九世紀中葉以後，西方國家才大量產生配合兒童的興趣與需要的讀物。這就是依時序分劃的兒童文學「古典時期」，也可稱爲西方兒童文學的「黃金時期」。*Alice in Wonderland*「愛麗絲夢遊仙境」(一八六六年）是第一本眞正提供兒童閱讀享受的創作，符合了達爾屯氏（J. Harvey Darton）對兒童讀物所下的定義：「兒童讀物以給予兒童樂趣爲主，而不是以教育他們，使他們學好，或使他們安靜爲大前題的印刷品。」此時期產生了一系列兒童文學的無價之寶，如*Little Women*「小婦人」(一八六八) *Twenty Thousand Leagues Under the Sea*「海底歷險記」（一八七〇），*Tom Swayer*「湯姆歷險記」(一八七六)，*Treasure Island*「金銀島」(一八八三），*Huckleberry Finn*「苦兒流浪記」(一八八四）等，至今仍然爲世界各國兒童及成人讀者共同欣賞的佳作。在此時期，美國的圖書館事業也有了新發展，領導全國圖書館事業的專業組織—

美國圖書館協會（American Library Association）成立於一八七六年。當時爲數不少的圖書館業者已瞭解兒童服務的專門性與重要性，美國圖書館學先進佛列殊氏(W. I. Fletcher）在其一八七六年發表的圖書館學重要文獻「美國的公共圖書館」（*Public Libraries in the United States of America*）一文中，大力呼籲取消各種對公共圖書館利用者年齡的限制，並建議各圖書館應積極選擇優良兒童讀物，以配合兒童讀者的興趣及閱讀需要。一八七九年，美國新英格蘭地區羅德島州的波特格圖書館（Pawtucket Library, Rhode Island）領先創立兒童部門（Children's Section），圖書館的門才正式爲幼小年齡的讀者開放。波特格圖書館的創舉獲得意想不到的成功，從此美國各地圖書館也紛紛仿效設立兒童部門或兒童室（Children's Room），使圖書館內不但有特定的場所供兒童利用，更收藏爲兒童選擇的圖書資料，並有曾受專門訓練的兒童圖書館員（Children's Librarian）爲兒童服務。

英國名詩人狄拉麥氏（Walter De La Mare）曾說：「世界上最珍貴的東西才配給予兒童享受。」因爲兒童期是可塑性最高的時期，他們在這一人生階段，所接觸的人、物、事都可能影響他的一生，因此兒童應享受品質最優良的兒童讀物及最完善的兒童圖書館服務。在一八八二年，美國圖書館先進侯溫斯女士（C. M. Hewins）開始編製優良兒童讀物書目：*Books for the young : A Guide for parents and Childen*，協助兒童及家長們選擇讀物。一九一五年，美國童子軍總部圖書館主任馬休士氏（Franklin K. Mathiews）有鑑於美國兒童在閱讀方面缺乏適當的指導，更鑑於一般兒童讀物的品質水準良莠不齊，乃極力提倡兒童應多讀好書，出版者應多出版好書，書商應多推銷好書的運動。馬休士氏更編列一書單，建議書商們將聖誕節（十二月廿五日）賣書旺季前——十一月中的一週定爲「兒童圖書週」（Children's Book Week），大量推銷書單中所列之優良讀物。一九一九年，美國圖書館協會之兒童圖書館員委員會一致通過支持「兒童圖書館週」活動，並組織了「兒童圖書館週委員會」，負責一切事宜。一九二二年，名出版商麥爾夏氏（Federick G. Melcher）提供經費設立了「紐伯利獎」（Newbery Medal係採用英國第一位兒童讀物出版商之名字），每年頒獎給經評審委員會評審爲美國出版的最佳兒童文學作品。該獎不僅是美國兒童文學界最高的榮譽，並且是近數十年來促進美國兒童文學界大放光芒的一大原動力。得獎者是先經由美國圖書館協會會員中從事兒童圖書館專業的會員投票初選，再經由十餘位兒童圖書館員組成的評審委員會經過謹愼而公平的程序產生最佳得獎作品。一九三八年，麥爾夏氏又捐款設立「考爾德克獎」(Caldecott Medal 係採用英國十九世紀著名兒童插畫家的名字)，也經前述同樣程序頒發給每年在美國出版之最佳兒童圖畫書。這兩個是美國最具影響力的兒童圖書獎，此外尚有約五十多個全國性、地方性、社團性等兒童圖書獎。頒發各種兒童圖書獎的目的是多重的：㈠鼓勵作家及插畫家積極從事優良創作；㈡鼓勵出版者出版各種優良兒童讀物；㈢鼓勵書商推銷優良讀物；㈣加強兒童閱讀優良作品的動機……。

一九三八年，兒童圖書編輯人協會 (Children's Book Editor's Association) 成立，並負責統籌推動「兒童圖書週」活動事宜。該協會的附屬機構兒童圖書委員會 (The Children's Book Council) 成立於一九四五年，成爲專門負責「兒童圖書週」的非營利組織。該會會址至今仍設於紐約市第五號街 (Fifth Ave.) 。此組織頗具規模與影響力，每季出版會訊 (Calendar)，內容極豐富且實用，專門報導有關兒童文學、出版業、兒童圖書館等方面之消息。於其會址並附設圖書資料室，收集三年內出版的各種兒童圖書供有心人參考、借閱，並展示各種百科全書及獲獎佳作。該組織每年並製作各種精美的「兒童圖書週」宣傳資料如海報、書籤、書目、吊飾、標語等，廉價供全國各圖書館、學校、書店及團體、個人訂購。七十二年夏天，兒童圖書委員會舉辦了首次的美國兒童會議

(Everychild: The American Conference)，參加者約兩千五百人，包括來自德國、法國、墨西哥、南美洲的兒童圖書館員、教師、兒童福利工作者、作家、挿畫家及出版業者。兒童教育相關各界專業人員借此機會交換意見、參觀展覽、參加各種專題演講及活動，眞是盛況空前，令人羨慕。

自一九一九年麥克米倫出版公司(Mc Millan)領先設立兒童圖書編輯部門後，其他出版公司亦紛紛仿效設立同樣部門，因爲廿世紀初葉以來，出版兒童圖書已是利潤頗厚的新行業。據統計，一九六八年美國已有七十八家以出版兒童圖書爲主要業務的出版公司。由於兒童圖書出版的激增，評鑑兒童讀物去蕪存菁的重責便落在兒童圖書館員的肩上，因爲他們是兒童與圖書間的橋樑，家長和教師尋查補充教材及課外讀物的顧問；兒童閱讀的指導者。遠在一九一八年，兒童圖書館專業人員便開始寫兒童圖書評論，經常刊登於文學評論雜誌。當時著名之書評者爲最具規模的紐約市公共圖書館兒童工作部門主任摩爾女士(Anne Carrol Moore)。一九二六年以後，摩爾女士曾在紐約前鋒報(New York Herald Tribune)主持撰寫兒童圖書評論專欄「三隻貓頭鷹」("The Three Owls")(英文之貓頭鷹亦作智者解，此三隻貓頭鷹乃作家、挿畫家、評論家之比喻)。十年後摩爾女士脫離前鋒報，便專心致力於為至今仍負盛名、最受尊敬與歡迎的兒童文學專業雜誌——角書雜誌(Horn Book Magazine)寫書評。摩爾女士不僅是一優秀的兒童圖書館員，美國兒童圖書館的拓荒者，也是美國最具影響力的兒童書評家之一。她熱愛兒童，也深深瞭解他們的需要，加上運用她那特別敏銳的判斷力，可從無數的兒童讀物中選出不尋常、富幻想及創作性的佳作。美國的圖書館多制定一般圖書的選擇政策及標準，而選擇兒童圖書又訂有特別的標準，作為圖書館員評鑑的準繩。每位兒童圖書館員由於曾受專業訓練，具有書本知識(Book Knowlege 即閱讀兒童讀物經驗之累積)及工作經驗等各方面的條件，都有助於其成為優良的書評家。

美國兒童圖書館有今日的成就，固然是因為那一批早期墾荒者的努力、信心及他們堅定不移的理想——把優良的讀物介紹給兒童。但僅有華麗的館舍、完善的設備、受過良好專業訓練的館員，若沒有豐富的館藏來支援，又怎能吸引讀者或發揮圖書館的功能呢？所以兒童文學的高度發展與推動兒童圖書館事業是息息相關、相輔相成的。從另一觀點講，一旦兒童圖書館的功能發揮，成為社區大衆知識的寶庫，則兒童圖書館員便是名副其實的讀者顧問，更能帶動社區的讀書風氣。此時，祇要出版優良的讀物，圖書館及愛書人必會爭相購買，而優良的創作又那怕無公司出版？而努力從事創作的作家及插畫家又那怕不能獲得公平的酬勞？而兒童文學的園地又那怕無人耕耘？的確美國雖非一純書香社會，但由於他們崇尚民主政治，極重視資料的利用，從小便鼓勵兒童充分利用圖書館的人力與物力資源，兒童圖書館的重要性遠在廿世紀初期已被肯定，圖書館便成爲兒童讀物極佳的推銷對象。一九八二年的統計，美國有公共圖書館一四八二四所（並不包括那成千上萬的學校圖書館或教學媒體中心），這些圖書館的兒童部門每年購買兒童圖書的數量極爲可觀，據一九七八年的統計，約佔銷售市場的百分之八十。無怪出版公司總想以高薪「挖走」公共圖書館的兒童圖書館員，因爲還有何人比他們更瞭解兒童的閱讀興趣與需要？他們是書評家、兒童閱讀指導者、教師、家長及其他成人讀者的兒童圖書顧問。前述在將兒童文學與兒童圖書館息息相關、相輔相成的關係加以闡明，下面將探討兒童圖書館在傳播兒童文學時扮演的確切角色。

(3)

在美國兒童文學之所以被大衆重視，兒童讀物之所以爲兒童喜愛，可以說主要是由於兒童圖書館充分發揮了其功能，成功地充當了兒童與兒童文學間的中介。雖然，衆所週知兒童自幼時經由成人講（唸）故事或唱兒歌，便開始與兒童文學接觸；透過學校的課程也可將各種兒童文學介紹給學生；兒童在家庭、書店或其他場合也有機會瀏覽或接觸兒童讀物，但父母親、教師或書店店員終究不能取代具有專業訓練，指導兒童閱讀的圖書館員。學者們已經肯定閱讀對兒童心智的發展極具影響，因此我們極需認識兒童、兒童讀物及兒童圖書館的密切關係。何況個體的力量究竟不若群體力量來得深遠廣大，一本好書固然可以爲千萬兒童所愛讀，但欲令每一兒童購買許多他喜愛的書，終究是不可能的事。因此普遍設立兒童圖書館（社區圖書館兒童室及學校圖書室）的宗旨，就是提供更多兒童理想的閱讀環境，質量並重的兒童圖書資料及曾受專業訓練的優秀兒童圖書館員，使兒童圖書館能發揮它最大的中介功能，使兒童與圖書能快樂地結合在一起。美國社區兒童室的服務及各種活動，便是這個淺顯理論觀點的實踐。兒童生活中對兒童文學的需要至少可自下列六點來闡述：㈠兒童文學有助於教育。㈡當兒童透過課外閱讀，他們可暫時紓解現實環境下的壓力，憧憬逍遙於忘我的奇妙世界。㈢兒童文學有助於兒童對人與生活環境的認識，間接地增加他們的生活經驗。㈣兒童能從閱讀中獲得啓示，加深對自我的認識，促使改進日常行爲上的偏差。㈤兒童因接觸藝術、戲劇、音樂各方面的讀物而對創造性的活動產生興趣，使生活更充實、多彩多姿。㈥兒童接觸優美的文藝創作品，自然會美化他的語言、文字，甚至氣質與將來的人生觀。美國經驗充分顯示出承擔兒童文學與讀者間的中介或橋樑的便是圖書館與兒童圖書館員。而兒童圖書館員發揮其中介功能的主要方式不外乎：㈠閱讀指導及㈡設計並舉辦各種圖書館活動，提供兒童或對兒童文學有心人機會接觸不同類型的優良兒童文學。

閱讀指導是兒童服務的範疇內極廣義且最具彈性的一項服務。實質上，兒童服務的任何工作皆與閱讀指導有關，而「將兒童與圖書快樂地結合在一起」與「兒童應享受到最優良的讀物」已成為兒童圖書館員工作的座右銘。提供閱讀指導的方式有團體的與個別的。前者通常為班級的教師或團體的負責人預約一定的時間，帶領兒童至圖書館，由兒童圖書館員給予該團體有關圖書資料、服務及如何利用圖書館的說明，並介紹某主題或代表性的優良讀物(Book Talk)，提供兒童室內瀏覽及借閱的機會。後者為非正式的服務方式，兒童圖書館員按照他對於個別兒童閱讀興趣與需要的瞭解，憑其自身的專業知識、工作經驗、對兒童文學的瞭解及推銷員的說服力，向個別讀者推薦各類型優良讀物。而一位兒童圖書館員的個性，能否與讀者溝通並獲得他們的信任等，也是此項服務成功與否的關鍵之一。兒童圖書館員為了維持其服務水準，不僅要博覽各類兒童出版品，對於專業書評、讀者反應、出版消息等都得隨時注意與瞭解。

舉辦各種有聲有色、多彩多姿的活動爲公共圖書館兒童服務的特色。一位有創造力、經驗豐富、有敬業精神的兒童圖書館員，在所服務圖書館的人力、物力資源允許情況下，的確能創造各種吸引讀者利用圖書館資源的活動，這些也是以動態方式傳播兒童文學的好方法。公共圖書館兒童室多於課後、星期六、日及暑假期間舉辦活動。今將比較普遍的活動列舉於後：

㈠學前時間　此項活動特別爲學齡前之稚兒而設計的，通常在上午舉行，參加人數不能過多，以十五至廿人最理想。節目內容爲講簡單而挿畫清楚、美觀的圖畫故事二三則，其中並穿挿簡單易學的唱遊活動，使此「時間」來得更生動、親切。學前時間並非免費照顧幼兒的服務，而是爲了將優良兒童讀物、與同年齡兒童相處的機會及集體聽故事的經驗，提早介紹給尚未屆學齡的幼兒。

㈡故事時間　講故事是兒童圖書館的一大特色。美國兒童圖書館對此項服務非常重視，對兒童圖書館員在這方面的訓練及要求也特別嚴格。著名兒童文學家及說故事專家Ruth Sawyer及Elizabeth Nesbitt均認爲講故事是一種藝術，也是傳播兒童文學重要途徑之一。

㈢班訪（Class Visit）　此乃以團體方式給予一班學生閱讀指導。閱讀內容包括圖書館利用教育、介紹優良讀物、講故事或放電影等，並協助學生選擇各種優良讀物以備外借之用。成功的「班訪」活動有賴教師與兒童圖書館員的密切合作。「班訪」的預期效果是：⑴對年齡及閱讀程度相近的兒童作集體的閱讀指導。⑵經由「班訪」活動，使更多學齡兒童了解圖書館的功能，養成課後及假期利用圖書館的習慣。⑶增加學校教師與兒童圖書館員間溝通的機會，使公共圖書館與學校相輔相成，充分發揮教育功能。

㈣視聽節目　此為目前各兒童圖書館最流行且極受歡迎的活動，此類活動不必兒童圖書館員耗費太多時間作準備工作，且每一節目可以容納各年齡、性別的觀衆。圖書館舉辦電影節目的初衷為利用電影吸引更多的讀者利用資料。惟假以時日，圖書館員漸瞭解電影是大衆傳播中重要的媒體，也是教育兒童的重要資料。研究資料顯示，無閱讀技巧與能力，又無閱讀興趣的非讀者（non-reader）通常較易接受視聽資料，因此，可利用幻燈片、電影片、錄影帶等作為媒介，進而介紹簡單而富趣味性及現實性的資料。圖書館活動的主要目的在提倡利用圖書館收藏的圖書、資料，故應配合節目內容，陳列各圖書、資料，供觀衆瀏覽與借閱，甚至編製書目，提供觀衆進一步閱讀、研究的參考資料。新型的多媒體活動（multi-media program）常包括講故事及利用多種媒體如放映電影或幻燈片等於一活動中。這些活動都頗受讀者歡迎，也是推動兒童文學傳播的有效工具。

㈤美勞活動　此乃以美術、勞作等活動配合季節或圖書館內的資料而舉辦的。參加者的年齡因舉辦活動的簡繁而異。活動主持人不僅限於兒童圖書館員，任何圖書館工作人員、教師、家長、高中或大專學生皆可充任。圖書館應配合活動的進行而展示並流通與活動內容有關之兒童讀物或資料。製成的作品如兒童讀物中主角之畫像或藝像等可讓孩子帶回家「炫耀」，或寄放於圖書館作展覽，頗具推廣兒童文學宣傳之功用。

㈥其他活動　上述五類活動皆宜於每週、月或季等經常舉行。但在特別假日或機會，也可邀請兒童文學家或插畫家爲兒童作專題演講；音樂家示範各種樂器；魔術師及其他特技人員作與兒童文學內容有關的魔術、木偶、紙偶或皮影戲等的演出。規模比較大或耗費頗鉅的活動，可與社區內公、民營機構、單位或個人合作，以節省人力、財力，收分享社區資源之效。

㈦展覽　兒童圖書館應保持一種輕鬆、愉快、友善而吸引人的氣氛。兒童圖書館員經常設計各種展覽或展示，以配合該館所舉辦的活動或時令。展覽或展示可兼收美化圖書館及吸引更多讀者利用圖書館資料與服務的效果。兒童圖書館員計畫及執行展覽工作時，一切應以實用、簡單、美觀、新穎及吸引讀者的原則去辦理。

(4)

縱觀我國兒童文學發展的里程，自民國初年「兒童文學」一名詞的出現，至民國廿六年，兒童文學已略具規模中日抗戰爆發以後，它的發展因此中斷。勝利以後，百廢待舉，但並輪不到兒童文學的發展。政府遷臺以後，兒童文學的種子也帶到臺灣，幸賴一群兒童文學工作者默默地耕耘，使兒童文學的種子在自由中國「再播種、再吸收、再生長」。民國七十年代的兒童文學正面臨着發展瓶頸的突破，近年來由於兒童文學工作者及贊助者不斷的努力，積極舉辦各種展示及研習，如兒童讀物展覽、兒童文學研習會及兒童讀物寫作研習班、兒童讀物的表演（包括講故事及兒童劇展等活動）、兒童讀物的座談等，去年又成立了中華民國兒童文學學會。我們仍須加倍努力爭取兒童文學界以外的出版界、圖書館界、教育界、公私社會團體、個人及各級政府機關的重視與大力支持，俾能朝下列目標發展：

㈠建立健全的兒童文學體系。

㈡組織全國性、公益性、有力量的兒童文學專業組織——中華民國兒童文學學會。

㈢成立兒童文學研究資料中心。

㈣普遍推行「兒童圖書週」。

㈤加強各階層學校的「兒童文學教育」及「兒童圖書館教育」。

㈥贊助出版優良兒童讀物。

㈦協助發展兒童圖書館（包括小學及國中圖書館）事業。

㈧從事經常性兒童閱讀興趣調查。

㈨加強各種兒童書目、書單及書評刊物的出版。

最後借用「狄西之歌」（*Dicey's Song*）作者欣西雅佛女士（Cynthia Voigt）在接受一九八二年美國紐伯利兒童文學獎（Newbery Medal）頒獎時說的幾句話來結束本文，「說到兒童文學，我將它分成三大重要領域：第一是兒童文學的結晶——書，兒童文學的本身，也便是作家的成品；第二是助它產生者——出版公司及其編輯人員；第三是傳播兒童文學者——圖書館及圖書館員。由於這三者間共存互惠的關係（symbiotic relationship），而創造了我所謂兒童文學的園地。」

(5)

參考資料：

國立臺灣師範大學圖書館編　兒童圖書館研討會實錄。　臺北：編者印行，民國七十二年。

鄭雪玫　兒童圖書館理論／實務。　臺北：學生書局，民國七十二年。

Gross, Elizabeth H. Public Library Service to Children. Dobbs Ferry : Oceana, 1967.

Huck, Charlotte S. Children's Literature in the Elementary School, 3rd ed. New York: Holt, Rinehart & Winston, 1979.

Voigt, Cynthia. "Newbery Medal Acceptance" *Horn Book Magazine* (August, 1983), P. 401-409.

（原載於「兒童文學研究叢刊」(1)，74年12月）

㈡兒童讀物的評鑑與選擇

兒童文學是兒童讀物的實質，而兒童讀物則是兒童文學的基礎。但兒童文學並不屬純文學的範疇，它多少具有教育、輔導性的特質。兒童的身心均在隨著年齡的增長，不斷地成長中，兒童讀物當然必須順應這些現實，來配合促進他們的健全發展。兒童心態和人格成長的過程，是一個從「自然人」發展成爲「社會人」的過程，希望能透過兒童文學的內涵，逐漸潛移默化地導引兒童進入與人、團體、社會及自然世界相互協調的價值體系和行爲模式。因此，兒童文學的創作，不僅針對兒童的身心需求，而其內容更是要以兒童的眼光和立場，來反映及敍述其週遭形形色色的社會及自然界的景象；分析並著重兒童社會化過程中，所應體認的正確價值體系、面對問題的自處之道、和適當的人際行爲模式。很明顯的，兒童文學對兒童來講，不僅僅是具有文學的內涵，更具有教育、輔導性的特質。

兒童讀物的特質

誠如前文所述，兒童文學是以兒童讀物爲基礎的文學。而兒童讀物有後列的特色：

㈠　**多類型（genre）的文學**　兒童讀物的範圍很廣，其中包括小說、寓言、童話、詩歌、兒童劇等虛構性（fiction）文學類，與非文藝性的所謂知識性或非虛構性書籍（informational books , non-fiction）。又因爲前者以小說類或具故事性者爲大宗，故將兒童讀物分爲虛構性與非虛構性二大類。其實爲兒童而創作的知識性或非虛構性讀物，如傳記、科學、史地等都很重視文學性。作者及挿畫家的最大使命，就是用事實與論據把訊息傳播給讀者。盧震京先生將兒童讀物分純文學及文學化的科學兩大類（註一）：

兒童讀物
- 1. 純文學
  - 韻文的（詩歌）
  - 散文的（小說、故事）
- 2. 文學化的科學
  - 關於自然的
  - 關於衛生常識的
  - 關於社會的
  - （以上分）韻文、散文

吳鼎先生則按文學的形式將兒童讀物分四大類（註二）：

兒童文學
1. 散文形式的：童話、故事、寓言、小說、神話、傳記、遊記、日記、笑話。
2. 韻文形式的：韻語、兒歌、詩歌、彈詞、謎語。
3. 戲劇形式的：話劇、歌劇。
4. 圖畫形式的：連環圖畫、故事畫。

而葛琳教授將兒童文學略分為八大類（註三）：

1. 幼兒文學：兒歌、圖畫書、圖畫故事書、重疊的故事。
2. 詩歌：抒情詩、描寫詩、敍事詩。
3. 現代故事：寫實故事、童話。
4. 利用傳統資料編寫的故事：民間故事、神話、寓言。
5. 利用歷史資料編寫的故事：歷史故事、傳記。
6. 小說：短篇、長篇（寫實、冒險、童話、傳記）。
7. 戲劇：話劇、廣播劇。
8. 報導文學：建立觀念的書籍、辨認類別的書籍、動植物世界、實驗性質的書籍、概念性的報導書籍、專門性書籍、生活活動及手藝、技巧的書籍。

㈡ 多版式（ format ）的文學　兒童讀物的呈現尤其注意版本大小、樣式、色彩、揷畫、紙張及裝訂等有關設計。而美國兒童讀物的出版商在這方面更是獨具匠心。

他們盡量配合消費者的需求，挖空心思刺激他們的購買慾望。以書的大小及樣式而言，有極小的書（2¼″×3¾″），極大的書（giant book），狹而長的書（tall book），寬而短的書，甚至正方形的書種種。就挿圖而言，除了挿畫的風格、技巧及表達媒體不同，畫家更各展其技，盡量發揮。兒童圖畫書的挿畫，眞是形形色色、美不勝收；有顏色少而以綫條描繪爲主的；有彩色鮮艷奪目的；有木刻、水彩、粉彩、攝影的；甚至僅有圖而無文字的種種。通常書的每頁都是完整的，但有的書卻特意將一頁的某部份挖空，以增加其效果；或利用不同的紙（如透明的色紙）以產生特殊的效果。此外，兒童讀物的裝訂、封面、襯頁、書名頁、版面等及整體的設計均各有千秋。

㈢ **多題材（subject）的文學**　現代兒童讀物的題材眞可說是包羅萬象，無所不有。它包括從人的出生至死亡的過程中任何題材。大的可以談宇宙、太空，小的可以談到細菌、微生物。當然，很多比較新的題材，以往都被認爲是兒童文學的禁忌題材，但如今都以比較坦白而客觀的態度來探討。近年來現實小說（realistic fiction）常以家庭問題及社會問題，如離婚、身體殘障、兄弟姊妹間的妒忌、家庭增加新成員、戰爭、貧窮、疾病、偏見、酗酒等作爲故事的題材。的確，現代兒童文學的範圍日益拓展，希望能盡量做到配合各種特殊讀者的需求而創作。

㈣ **隨時代背景變異而變異的文學** 自兒童文學發展的歷史，顯示兒童文學作品反應出當時社會對兒童的看法及那時代的文化價値觀。十七八世紀以前，兒童文學發展較早的西方國家也並無純屬兒童自己的文學。成人多透過運用當時的文學作品去教導、灌輸兒童們該時代社會公認的道德倫理規範及宗教信仰。當時運用此種文學「工具」是在於去拯救兒童有罪的「靈魂」，而絕不是為了使兒童們獲得閱讀的樂趣。當時一般人認為兒童是成人的雛型，即所謂的「小大人」，而期望他們扮演成人的角色，承擔成人的職責，閱讀成人的讀物，並和成人一樣自讀物中獲益。廿世紀以後，方始有人眞正對兒童的需求關切，進而以兒童為讀物對象從事研究。所以許多早期家喻戶曉的民間故事，如最負盛名的格林童話集，原本也是為成人而收集、撰寫的。這些歷史上具有地位的民間文學雖然流傳至今，但為了使它們能配合現代讀者的需求及興趣，也都曾經幾次三番地被删改，或加以挿畫，增加它的可讀性。即使十九世紀中葉，西方的兒童讀物，仍是以成人的觀點及語氣來表達，字裡行間充滿了譴責、恐嚇及說教等權威性的意向。他們認為兒童生來有罪，必須利用兒童讀物來勸善懲惡，以一儆百。而挿畫中人物表情呆板、畫面缺乏動感，故事中的挿畫並不受重視。現代的兒童文學創作，故事描繪的是兒童自己的世界。故事中充滿了「童眞」和「童趣」，以兒童的眼光，兒童的感受、語言來敍述，而「第一人稱」自然是常採用的寫作方法。書中的揷畫除了詮釋文字，更有襯托文字，使全書生動有趣的效益；在圖畫書中，揷畫之重要性更不在話下。如今由於科技的進步，揷畫表達的媒體也因而增加，使揷畫的製作更是多彩多姿，生動活潑，揷畫已成爲吸引讀者的重要關鍵。

㈤ **什麼不是兒童讀物？**　市面上充斥著許多「包裝」美觀，裝訂精緻的兒童讀物。但事實上，它們並不一定都是我們心目中的兒童讀物。它們的眞實身價如何，大多尙須深入瞭解。協助兒童選擇讀物的老師、兒童圖書館員及家長們，在選擇一册兒童讀物時，似宜注意考量下列兩個問題：⑴該書是否眞實而確切的描寫兒童？⑵該書內容是否超越一般兒童的聯想和思考範圍？舉最簡單的例子來說明，作家若描述一段充滿傷感的兒時回憶，那便難稱作眞正以兒童爲對象的讀物。因爲從現代對兒童身心的研究顯示，在通常情形下，兒童是傾向憧憬未來，享受現在，而不會追憶過去的。作家如果透過兒童，在讀物裡以成人的觀點來批判社會百態，或譏諷某些事件，這便是有所偏頗。因此，這種出版品若依現代的專業眼光來看，便絕對不能被稱之爲兒童讀物。

㈥ **「好」或「有用」的兒童讀物**　教師、兒童圖書館員及其他協助兒童選擇讀物的成人，都有責任盡量選擇最「好」或最「有用」的讀物供兒童閱讀。然而，我們瞭解此處所指「好」和「有用」是相對的。讀物的好或不好，除了有客觀的評鑑標準外，更以讀者個人志趣、喜好的主觀標準來判斷。同樣的，「有用」也是有時空條件的，某兒童要瞭解太空事物，某特定有關太空讀物便對他「有用」；惟對另一位對太空興趣索然的兒童而言，那本特定有關太空的書籍便不能說是有用了。所以，除了專業人員評鑑兒童讀物有一定的客觀標準外，其他如讀物的「好」或「有用」是憑讀者個人自身的鑑賞能力、主觀及時、空條件來斷定的。這當然會因人、時、空的變異而有所不同。

評鑑兒童讀物的標準

虛構體裁類（fiction）　兒童讀物類型數量比重最大的爲此一類型。而各國圖書館的統計也通常顯示讀者對此類型讀物的利用率亦較高。今謹就情節、背景、主題、人物、風格、版式等方面對這類型讀物略予說明：

㈠ 情　節　通常情節曲折、生動、緊湊的故事較能吸引讀者的注意力，並誘發兒童意欲一氣呵成，唸完全書的興致，這便是兒童心目中所謂的「好故事」。而情節的構擬最好能做到合情、合理、自然、新頴且有創意。依據國外的研究，一般兒童偏愛的是節拍快、高潮明顯且結局緊接高潮的故事。

㈡ 背　景　這是有關故事發生的時間與地點。故事可能發生於過去、現在或未來；同時也可能發生於某一特定地方或一代表性的地方。但背景必須描繪得令人可以相信，因爲它會影響故事的氣氛、眞實感、說服力及讀者的感受程度。

㈢ 主　題　這是作者要表達的目的，也可以說是故事軀殼中的實質內涵。藉着故事的敍述使讀者能在無形中感受故事主題的意義。主題可以是有關兒童成長的過程、家庭或朋友的愛、人與人的相處、對偏見、懼怕或其他身體、心理上、困難的克服等等。通常它們都具有倫理、道德的觀點，而且多以培育公正及健全的人格爲重點。不過，作家也不可過份強調主題；因爲過份的強調會使故事變質爲說教性或宣傳性的讀物。

㈣ 人　物　故事的主體是人物，而塑造人物最好能做到又「眞」又「活」。爲了求「眞」求「活」，作家不僅要有充分表現出人物的特有性格及其擅長、短拙的能力，並刻畫出人物的身份—言談、文化及教育背景等，使兒童讀物中的「人物」深深地印在小讀者的腦海中。

㈤ 風　格　不容諱言的，每位作家都有他個人獨特的筆法及格調，這也可說是該作家的「註册商標」。西方的研究認爲，一般兒童較不喜愛閱讀過多靜態描述或以回溯倒述的方式敍述的故事、說教意味過濃的故事，而較喜愛閱讀對話及行動多的故事。不過「第一人稱」敍述的體裁通常卻都能被兒童讀者接受。

㈥ 版 式　書的大小、厚薄、封面設計、插圖、印刷、紙質及裝訂等都會影響到兒童的閱讀興趣。一般小說（或故事）的插圖都能輔助文字的說明，使描繪更爲生動。因此，在插圖方面絕不宜粗製濫造，草草了事。再者，兒童讀物的裝訂必須要「堅固」、「實用」，要考慮讀物經得起兒童頻頻翻閱，不致因毀損而立即退出服務行列。

㈦ 其 他　設若客觀條件容許的話，更宜將它與相類似主題及對象的讀物，或同一作者，同一插畫家的其他作品作一比較。不過，每本讀物最理想的考量，還是要以它本身的「品質」來作依據。

簡言之，理想的優良兒童（少年）小說或故事，一定會具有生動緊湊的情節，有意義的主題、眞實的背景、令人置信的人物、適當的風格及吸引讀者的版式。然而，事實上並非每本市面上大家認爲優良的兒童讀物都能具備上述的每個條件。

圖畫書類（ picture books ）　評鑑此類讀物不必過份重視出版日期，其重要評鑑標準爲：

㈠ 內 容　該書的故事情節、背景、人物、語言及主題是不是適合特定年齡層的兒童。上述各點除語言外，均已在評鑑小說類時作了概括的說明，今僅就語言一項予以說明。圖畫書或圖畫故事多係由成人唸給幼兒聽，故不必過份簡化所用的文字。幼兒特別喜愛重覆的字，能引起聯想的字，及一些令人置信而又生動的對話等。故事不宜太長，因爲稚齡兒童集中注意力的時間是有限的。而於評鑑圖畫書時，文和圖的品質與契合應是同樣受到重視。

㈡ 插　畫　在評鑑圖畫書時，一個特色是不論書中文字有多少，文字與圖畫的契合乃是最重要的評鑑原則。此外，挿圖能否有效地表達故事的動態、氣氛、人物；是否正確地、一貫地與文字相配合；能否有助於文字的表達與敍述等等，均屬評鑑時考量的項目。

㈢ 插圖表達方式與技術　利用某一種媒體—水彩、粉彩、臘筆、版畫、剪貼、水墨等，或多媒體；顏色使用方法—顏色多寡、濃淡、明暗等；挿畫風格—柔和細緻、生氣蓬勃、寫實或具有特殊風格等。挿畫除了配合故事內容，更要注意創造動態的及成比例的畫面。

㈣ 版　式　圖畫書的大小、種類特別多。封面及襯頁設計能否表達故事的主題與精神；書名頁的設計、字體大小、紙張及裝訂等都應特別注意。圖畫書常利用翻開的雙頁構成一個完整的畫面，在裝訂上尤應特別注意不要損及畫面的完美。

㈤ 其　他　設若條件適合，評鑑時更宜與同一挿畫家的其他作品，或與其他相類似主題、故事的作品比較。

非虛構體裁類（non-fiction）　每當談論到兒童文學，人們多會認為祇有虛構性的小說或故事為兒童們所喜愛，而忽略了在兒童文學中尚有無數具創意且重要的知識性讀物及傳記。茲分述於下：

㈠　知識性讀物　在資訊爆發的今日，不但知識性的讀物隨著需求的增加而與日俱增，而知識的分類也漸趨細密繁多，而且更專門化了。評鑑知識性讀物的各項主要標準，如按其重要順序排列，首為正確性，其次為內容，再次為風格、組織、插圖及版式等。

⑴正確性　知識性讀物應由有關學科專家或對該學科有瞭解的作家撰寫。但學科專家並非全是兒童文學作家，而非專家撰寫的知識性讀物，則必須經過審慎核對後才能接受。評鑑「正確性」時，更要深入注意其所採資料的時效性、完整性，是否有典型化或有以偏蓋全等缺點；所舉事實能否印證或支持讀物中的論斷；事實與論斷是否劃分清楚。此類讀物如若可能應盡量避免擬人化敘述的方式，以增加讀物的效益。

⑵內容　注意內容是否充分表達了作家的寫作目的內容（指主題、內容深淺及範圍廣狹等）是否切合寫作對象的年齡層，讀物提供的資料是否能激起讀者的興趣，或引導讀者對主題作更深一層的認識。

⑶風格　每位作家描繪說明事物的方式各有不同。詞彙及文字的應用，也有他們各自獨特之處。這便是所謂作家們的作品風格。考量作品風格是否成功的關鍵是在它能否激起讀者的共鳴。

⑷組織　讀物的資料組織是否有條理、清晰；因循一定方式者，是否依照該方式（如地理資料按地域、歷史資料按年代等）；章節條列是否分明、合理；有無書前「目次」及書後「索引」或其他重要參考資料，如書目、附註、專門名詞解釋、附錄等。

⑸插畫　插畫的主要功能爲輔助文字的說明。表達畫面的媒體，插畫位置與標題是否正確、簡明，都是考量讀物插畫的重要項目。然而插畫家是否能以其特殊技巧或觀點來增加插畫的效果，也是值得我們注意的。

⑹版式　版式設計主要是在增強資料提供之效果及兒童閱讀的興趣。如果版式設計能發揮這個功能，這份讀物的評價也自然會增高了。

㈡傳　記　通常一般兒童在中高年級以後，便日漸對古今人物特別感到興趣，且常會油然而生仰慕與認同感。傳記讀物以情節緊湊，內容充實完整，及有關傳主之生動有趣的故事較能受兒童讀者們的歡迎。評鑑時應加注意：

⑴人物的選擇　以選擇有關古今中外值得崇敬的人物，或兒童熟知或感興趣的人物爲宜。著重傳主多方面的

描敍，而非僅僅呈現其成功的一面。因爲寫作的目的在提供兒童各種眞實、客觀、整體的傳記資料。

⑵風格　寫作風格每因作家各自的獨特感受，遂至各有不同。風格表達的方式，在前面已經說過，在此不必贅述了。不過，考量作家的寫作風格是否能爲兒童讀者接受或喜愛却是不容忽視的。

⑶眞實性　讀物中資料的文字及挿畫是否能眞實客觀地表達出主要人物所存在的時代、地點及生活背景。

⑷人物　將人物逼眞地介紹給讀者，他的長處、短處、面臨的問題等等。並應就其一生或某一時期，自多方面作詳盡、客觀、眞實的敍述。且所描繪的人物應該是活生生的，令讀者在腦海中留下一個清晰的人物形象。

⑸主題　傳記的主題主要在敍述傳主的事跡史實。而作家受到個人觀點的影響，或爲支持自已對傳主的論斷，難免會在選擇傳主的事跡史實上有些偏頗。不過，顯著偏頗的主題會損及一本傳記的評價。這是我們在考量一本傳記讀物時不可忽略的。

兒童讀物的選擇

「如何爲孩子選擇讀物？」應該是衆所關心的問題。在兒童圖書館（包括學校圖書館及社區公共圖書館、文化中心圖書館的兒童室等）事業發達的國家，圖書館員不僅是兒童閱讀指導者，也是教師，家長及一些關心兒童閱讀問題者的顧問。圖書館編印了許多不同主題及閱讀年齡層的書目或書單，作爲讀者閱讀指導、或選書的指南。目前，我國兒童圖書館尚不能普遍地提供此類的專業服務。因此，關心兒童閱讀的教師及家長們便需要自己摸索出一個可行的途徑來解決這問題。筆者認爲解決此一問題的先決條件是必須瞭解孩子的閱讀需要，他的閱讀興趣、能力及目的。另外，尚須瞭解市面上一般兒童讀物的出版情形，進而培養自己選擇讀物的能力。但成人選擇讀物，仍要以順應孩子的性向爲原則。因爲看書的終究是孩子，有誰比孩子更知道他自己需要什麼讀物呢？

要對市面上一般兒童讀物出版情形有所瞭解，並非難事。我國兒童讀物出版量有限，常逛書店，參觀書展，聽演講，或注意大衆傳播媒體對出版消息或書評的報導等，都是簡易可行的良好途徑。另外若有機會和學校教師、其他家長或對這方面有興趣的人交換意見，假以時日，必能增加這方面的知識。最重要的，當然是別讓你的權利睡着了——可經常利用附近的公共圖書館，他們會很樂意提供有關這方面的資訊及有助於選書的工具，如：「全國兒童圖書目錄續篇」(中央圖書館臺灣分館編，七十三年出版），「中華民國圖書館基本圖書選目」(中國圖書館學會編，七十一年出版）及各大公共圖書館編印的兒童圖書目錄等。以下提供六點，作爲選擇兒童讀物的參考：

㈠首先考慮並尊重兒童的想法。酌依兒童性向，協助選擇，絕對不要專斷、強迫孩子閱讀您認爲「好」或曾閱讀過的「好」書。

㈡讀物的文字以淺顯、精簡、生動、口語化的爲佳。選擇時更應考慮閱讀對象的一般瞭解能力。

㈢讀物內容最好能適合孩子的生活經驗，且符合現代中國兒童的意境。

㈣讀物中的挿圖應具有闡明故事的功能，能補充或擴大文字的含意，確切表達故事內容、動態及挿畫家的風格等。

㈤如果是知識性讀物，應特別注意該讀物提供的資料是否正確，組織與表達方式是否足以吸引讀者。對大部頭書，應特別愼重選擇，不要爲它外表美觀的「包裝」或精美的印刷、裝訂所矇蔽。

㈥美麗的封面及「響亮」的書名，雖然可以引起大家的注意，但是審愼的選書人都會專心去考量圖書的整體設計（包括文字及美術設計）、印刷、紙張、字體及裝訂等項目。

選擇讀物者對比較有聲譽的出版社出版的讀物，或名作家及挿畫家的作品，也可以優先考慮。另外，讀物的售價對某些選購者多少也會有點影響。展望未來，讓我們大家誠摯地期望作家、挿畫家、出版家、編輯人及圖書館員携手合作，共同爲中華民國的兒童文學創造一個更美好的明天。

附　　註

註　一：盧震京，小學圖書館（臺北：商務印書館，民 60 年），頁 52。

註　二：吳鼎，兒童文學研究，三版（臺北：遠流出版社，民 69年），頁 79。

註　三：葛琳，兒童文學——創作與欣賞（臺北：康橋出版事業公司，民 69 年），頁 37-352。

（原載於「輔仁大學輔仁學誌」第 15 期，75 年6月）

㈢如何爲幼兒（〇至七歲）選擇讀物

近年來美國及加拿大有兩本頗受教師、家長及圖書館員重視的書是「朗讀手册」（*The Read Aloud Handbook*）（註一），及「嬰兒需要書」（*Babies Need Books*）（註二）。顧名思義，我們便可瞭解這兩本書均一致強調兒童讀物對兒童發展及教育的重要性，而教師、家長及兒童圖書館員等擔負教育、輔導兒童成長者，若能儘早將讀物介紹給兒童則更理想。父母開始和嬰兒牙語、哼歌時，便可以開始爲他們唸或講故事了；因爲嬰兒在初生至六個月時期，雖然不懂字的意思，却能聽見愛他的人爲他而發出的聲音。

選擇幼兒讀物是一個相當重要的工作，尤其家長們面對琳琅滿目的兒童讀物，眞有不知從何下手的感嘆。在兒童圖書館服務高度發展的國家，兒童圖書館員是兒童閱讀指導者，也是教師、家長及一些關心兒童閱讀者選擇讀物的諮詢顧問。此外，圖書館還編印各種主題及閱讀年齡層的書單，大量分發給兒童及家長，作爲他們選擇讀物的指南（註三）；其他團體、機構或書店也提供選書的參考服務。美國洛杉機附近的著名書店「兒童圖書及音樂中心」Children's Books and Music Center）（註四），便是有規模的兒童讀物及視聽媒體銷售中心，提供專業化及高品質的服務。

目前國內在前述兩方面的發展尚未臻理想，因此關心兒童閱讀的教師及家長們便得設法教育自己，來解決這問題。選擇讀物的先決條件是要對讀者(包括聽故事的幼兒)及讀物有充分瞭解，尤其必須瞭解兒童的閱讀需要、興趣、能力及目的等，更要瞭解兒童讀物的出版情形，培養自己選擇讀物的能力及興趣。現僅就初生嬰兒至七歲的幼兒，按其年齡來分別簡述他們的發展特性，以及選擇讀物時就圖畫、文字及版式（ format ）各方面，可供參考的注意事項（註五）：

㈠**初生至五個月**　初生嬰兒在五個月大前，視力焦距尚不能集中，但聽覺已相當發展，因此父母可以對他唸或講自己喜歡的簡單故事。嬰兒雖然看不清楚圖畫或聽不懂字的意思，但他聽得懂愛他的人為他而發的和諧、親切的聲音。這時期可以選擇一些極簡單、押韻的兒歌、童詩、童謠及文字、句子重覆的故事，也讓他從小便熟悉語言的韻律。

㈡**五個月至一歲**　在五個月到七個月期間，一般嬰兒的視力開始清晰，家長可以選擇以圖畫為主的書，並使嬰兒有機會和書之間發生相互交流作用;當和兄姐唸故事時，也可以抱著弟妹同時分享「閱讀」的樂趣。書中的圖畫要清楚，尤其人、物的輪廓要清晰，並且構圖以不太複雜為宜。圖文要和諧配合，故事內容簡單，利用簡單、常用的字辭解釋圖中幼兒熟悉或易模仿的事、物。文字生動、有趣、押韻則效果更佳。幼兒常把書當作玩具，而且他們利用感官學習，所以能觸、摸、嗅及可拉、拆的塑膠、布或紙板等材料的書最適宜。價錢昂貴而又易損壞的圖書，最好由大人拿著給他欣賞。

㈢**一歲至二歲**　這期間幼兒從接觸讀物中獲益極大。他從欣賞優美的圖畫中，培養審美觀及快樂感;開始把字、數字與聲音相連。但父母擁抱他時所給與的溫暖、安全感及愛，仍是幼兒最需要的。此年齡層兒童開始學習自己選擇讀物，而且很可能情有獨鍾地對於某一書發生特別好感，常會再三地要求父母與他分享。他也喜歡參與講故事，翻書頁、指、說、點出圖畫中的某部分。他並將讀物視爲玩具或玩伴作各種遊戲自娛。

總之，此年齡幼兒喜歡欣賞各類型讀物。書中的圖畫以有色彩、清晰、鮮明及具眞實感爲佳。家長可以選擇不同藝術風格或傳達媒體（如攝影、水彩、油彩、剪貼等）及介紹概念性（如大小、遠近、長短及數字等）而兼具娛樂與教育功能的讀物。文字方面則在重視適當用語及音韻，而不偏重於本身的意義；故事題材也以與兒童生活相關的爲最適宜，這樣才能使他感興趣，有持續閱讀的意願。至於讀物的形狀、大小則可以多樣化，但以容易平坦翻開者爲宜。

㈣**二歲至三歲**　此年齡幼兒已開始體驗視聽的繽紛世界，而且急於以語言表達感受；喜歡用新字、辭，父母、同伴、讀物、交通標示、招牌、食物包裝、電視機等都可能是提供他新字、辭的來源。好問、好講也是該年齡幼兒正常、快樂及健康的證明。家長們應把握機會提供幼兒各種讀物以刺激並滿足他的好奇心及求知慾。每當幼兒自然地說出故事中的人、物或事件，便證明他與讀物間已發生相互交流的作用。但此年齡兒童的注意力仍難集中，他很可能會在聽故事或翻閱故事期間興趣中斷。家長或教師不應責罵或勉強他，以免產生日後不愛書或閱讀的後遺症。

選擇讀物時應注意插圖的鮮麗、清晰及有強烈對比背景者，而且每畫頁最好以一特定的人、事、物爲焦點；而圖畫也以具補充文字功能的最適宜。故事情節以簡單、緊湊、有高潮及一個可測的快樂結局尤佳。採用具圖畫性或音樂性的字、辭有助於引申幼兒幻想力及其對故事的瞭解。書的大小、形狀可以不拘，惟仍以裝訂牢固、美觀且實用者爲宜。

㈤**三歲至四歲**　此年齡幼兒常話不停口，發問不休；家長或老師應耐心地回答他們的問題，以滿足他們的好奇心及求知慾。家長及老師們應經常帶他們拜訪圖書館、書店及書展等地方，讓他們有多種機會接觸讀物。家長也可以從圖書館借書，與孩子共享閱讀的樂趣，並培養他們從小利用圖書館的習慣。此年齡兒童對各種圖書都感興趣，尤其是形狀特別或封面設計美麗、搶眼者。

㈥**四歲至五歲**　此年齡兒童比較不易控制情緒，常發脾氣並出口傷人。他們喜歡交友，也容易因小事與朋友鬧彆扭；對語文極感興趣，甚至會創造新字、辭或小歌兒等。家長應把握機會利用文字遊戲等方法糾正他語文上的錯誤，或引導他進一步學習。他也會編造奇怪的故事，甚至說看到鬼、外星人或怪獸種種。請別責備他「說謊」或「神經病」，實在因爲他們精力充沛且幻想力強，經由各種傳播媒體獲得訊息後，正努力分辨「眞」與「假」呢！家長更宜爲他選擇多種題材（如交友、禮儀、社會習俗等）的讀物。

㈦**五歲至六歲**　此年齡兒童比較有安全感，情緒也較穩定，而且行爲也很可愛。他們並喜歡討大人(尤其媽媽)歡心，也喜歡上好玩的學校。在心智方面好奇，能接受新經驗，適宜引導他們參加各種活動，如說故事、玩手指遊戲、偶戲、拜訪圖書館、接觸各種視聽資料等。

㈧**六歲至七歲**　此年齡兒童一般已開始自己閱讀，並能瞭解字的意義，隨著閱讀經驗的累積，閱讀能力與興趣也逐漸增強。家長或教師應提供比較簡單或配合兒童興趣的讀物，以免因閱讀遇到困難而產生過多的挫折感。從依賴別人而至獨立閱讀，是一個重要的轉變，家長、教師們仍應繼續唸或講故事給孩子們聽，讓他們接觸更多的讀物，有助於加強對文字、概念及文學的認識外，更使他們繼續享受和父母共同閱讀的美好時光。

上面僅是對一般初生嬰兒至七歲兒童，在各年齡期間作了一個極簡略而籠統的敍述。每一個兒童都是獨立的個人，各具特色；他們發展、成長情形也因爲許多外在、客觀條件而異，如家庭背景、教育環境、本身健康狀況等等均會有所影響。因此家長在選擇讀物時除了參考前述提供的資料外，更必須進一步瞭解個別兒童的閱讀需要，及大致瞭解兒童讀物出版情形，以培養自己選擇的能力。

我國兒童讀物出版量有限，常逛書店、參觀書展、聽演講、進圖書館或注意國語日報及其他報紙的兒童版、家庭版刊載的有關出版消息及書評等，或和教師、其他家長親友交換意見，假以時日便逐漸對選書有所認識。另外，也可多利用圖書館、學前教育機構（如信誼親子館）等專門機構提供的資訊。

總之，爲了盡可能做好如何爲孩子們選擇讀物，本人再提供下列六點（註六），做爲替孩子們選擇讀物較具體的參考準則：

㈠首先考慮兒童的想法，並給予適度的尊重，依他的性向協助選擇。

㈡所用文字應以淺顯、簡明、生動爲要。尤其應考慮孩子的一般瞭解能力。

㈢內容最好適合兒童自身的生活經驗，且符合現代中國兒童的意境。書中傳達正確的、健康的、積極的思想觀念，並具體地表達生活化、趣味性、幽默的題材。

㈣挿圖應有說明性的功能，並能補充或擴大文字的含意；更須有效地表達故事內容、動態及挿畫家的風格等。

㈤知識性讀物應特別注意資料的正確性、組織與表達及挿圖的適當性、時效性等。對價格昂貴的大部頭譯書，應特別愼重選擇，不要爲美麗的外觀所矇蔽。

㈥美麗的封面及響亮的書名都能吸引讀者，但我們更應注意圖書的整體設計、印刷、紙張、字體（包括注意符號）及裝訂等。

附　註

註　一：Jim Trelease, *The Read-Aloud Handbook* (Harrisonburg, Va.: Donnelley & Sons, 1985).

註　二：Dorothy Butler, *Babies Need Books* (London: Bodely Head, 1980).

註　三：鄭雪玫，兒童圖書館理論/實務，再版（臺北：學生書局，民國74年），頁139～140。

註　四：地址如下：
Children's Books and Music Center
2500 Santa Monica Buldg.
Santa Monica, Ca 90404 U.S.A.

註　五：Robert J. Whitehead, *A Guide to selecting Books for Children* (Metuchen, N.J.: Scarecrow Press, 1984), pp. 3-31.

註　六：鄭雪玫，「兒童讀物的評鑑與選擇」，輔仁學誌，文學院之部第五期（臺北：輔仁大學，民國75年），頁219～220。

（原載於「書府」第8期，76年6月）

國立中央圖書館出版品預行編目資料

資訊時代的兒童圖書館/鄭雪玫著. --修訂再版. --臺北市：臺灣學生,民81
面； 公分.--(圖書館學與資訊科學叢書；18)
參考書目；面
含索引
ISBN 957-15-0368-1 (精裝).--ISBN 957-15-0369-X (平裝)

1.兒童圖書館

024.5 81001357

資訊時代的兒童圖書館

著作者：鄭雪玫
出版者：臺灣學生書局
本書局登記證字號：行政院新聞局局版臺業字第一一〇〇號
發行人：丁文治
發行所：臺灣學生書局
臺北市和平東路一段一九八號
郵政劃撥帳號00024668
電話：3634156
FAX：(02) 3636334
印刷所：常新印刷有限公司
地址：板橋市翠華街8巷13號
電話：9524219・9531688
香港總經銷：藝文圖書公司
地址：九龍偉業街99號連順大厦五字樓及七字樓 電話：7959595
定價 精裝新台幣二三〇元
平裝新台幣一七〇元
中華民國七十六年十一月初版
中華民國八十一年四月修訂再版

02402 版權所有・翻印必究

ISBN 957-15-0368-1 (精裝)
ISBN 957-15-0369-X (平裝)

臺灣學生書局出版

圖書館學與資訊科學叢書

①中國圖書館事業論集	張錦郎著
②圖書・圖書館・圖書館學	沈寶環著
③圖書館學論叢	王振鵠著
④西文參考資料	沈寶環著
⑤圖書館學與圖書館事業	沈寶環編著
⑥國際重要圖書館的歷史和現況	黃端儀著
⑦西洋圖書館史	Elmer D. Johnson著 尹定國譯
⑧圖書館採訪學	顧敏著
⑨國民中小學圖書館之經營	蘇國榮著
⑩醫學參考資料選粹	范豪英著
⑪大學圖書館之經營理念	楊美華著
⑫中文圖書分類編目學	黃淵泉著
⑬參考資訊服務	胡歐蘭著
⑭中文參考資料	鄭恆雄著
⑮期刊管理及利用	戴國瑜著
⑯兒童圖書館理論／實務	鄭雪玫著
⑰現代圖書館系統綜論	黃世雄著
⑱資訊時代的兒童圖書館	鄭雪玫著
⑲現代圖書館學探討	顧敏著
⑳專門圖書館管理理論與實際	莊芳榮著
㉑圖書館推廣業務概論	許璧珍著

㉒線上資訊檢索——理論與應用	蔡　明　月　著
㉓現代資訊科技與圖書館	薛　理　桂　著
㉔知識之鑰—圖書館利用教育	蘇　國　榮　著
㉕圖書館管理定律之研究	廖　又　生　著
㉖外文醫學參考工具書舉要	顏　澤　湛　編著 沈　寶　環　校正
㉗圖書館讀者服務	沈　寶　環　主編

※尚有其他圖書館學類圖書十餘種請參考學生書局書目